Crimes en famille

Cette édition de *Crimes en famille*
est publiée par les Éditions de la Seine
avec l'aimable autorisation de Édition°1
© Édition°1, 1995

Catherine Siguret

Crimes
en famille

Préface du Pr Michel Bénézech

Préface

Domesticus Otior (1)

> « Familles, je vous hais !
> foyers clos ; portes refermées ;
> possessions jalouses du bonheur. »

André Gide, *Les Nourritures terrestres.*

Rêveurs et idéalistes perçoivent la famille comme un espace enchanteur où parents et alliés s'aiment et s'entraident fraternellement. Cette vision idyllique de l'univers familial n'est malheureusement pas partagée par le spécialiste en criminologie pour qui le foyer conjugal, « ce nœud de vipères », représente le prototype même de la situation conflictuelle, de la scène criminelle. On a en effet, sous nos cieux, autant de probabilité d'être victime d'une agression mortelle de la part d'un proche que d'une personne inconnue. Le meurtre commis au sein de la parenté occupe une place importante parmi l'ensemble des homicides et l'habitation domestique est un des lieux les plus dangereux qui soit.

---

(1) Je mène chez moi une vie tranquille

Au cas où le lecteur incrédule du livre de Catherine Siguret nous soupçonnerait d'exagération, donnons quelques précisions. De 20 à 40% des homicides et 85% des meurtres entre époux se commettent au domicile commun. Près de la moitié des femmes assassinées le sont par leur mari ou leur concubin, le crime (passion, jalousie) étant volontiers perpétré dans la chambre à coucher du ménage. Environ 20% des conjoints se plaignent de brutalités physiques, les épouses battues étant beaucoup plus nombreuses que les maris frappés par leur femme. Les mauvais traitements à enfants sont légion, depuis la simple négligence jusqu'au filicide, en passant par l'abandon, les privations, les violences physiques et psychologiques, le viol pédophilique ou incestueux, le kidnapping parental à l'occasion de conflits de séparation ou de gardes lors d'un divorce. Par ailleurs, beaucoup de parents exerçant des sévices contre leurs descendants ont été eux-mêmes victimes d'abus ou témoins de la violence de leur milieu d'origine. Cette reproduction transgénérationnelle de la maltraitance est une triste réalité bien que tout enfant maltraité ne devienne pas obligatoirement un parent maladroit, maltraitant ou inadapté social. Mais, à l'inverse, les enfants passent aussi à l'acte sur leurs procréateurs, le problème des parents battus et martyrs étant d'actualité, sans oublier le classique parricide qui représente statistiquement 2 à 3% de l'ensemble des crimes de sang. Ceux qui tuent leurs aînés sont souvent délirants (schizophrénie surtout) et les meurtriers aliénés ont, de façon générale, une forte propension à choisir leurs victimes parmi les proches. La fréquence des crimes intra-familiaux des malades mentaux psychotiques s'explique par la pauvreté quantitative de leurs contacts sociaux, restreints au groupe familial, ainsi que par la perturbation des relations parents-enfant à l'origine des troubles du futur criminel. Notons que le suicide ou sa tentative sont assez courants (10 à 30% des cas) chez l'auteur d'un homicide sur son conjoint ou son descendant. Il s'agit quelquefois d'un pacte suicidaire, dit altruiste», un lien fusionnel, anaclitique unissant les partenaires consentants, malades et désespérés du couple.

Comment expliquer une telle violence domestique, de si nombreuses conduites destructrices entre personnes apparentées ? On sait qu'amour et haine sont étroitement liés dans l'histoire familiale et l'évolution psychologique de la personne humaine. En effet, lors du complexe d'Œdipe, le petit garçon aime et déteste à la fois son père, cette haine homicide du rival amoureux étant à l'origine d'un besoin névrotique de punition. Le psychisme humain reste donc profondément marqué par l'ambivalence des sentiments, tout lien affectif positif possédant sa composante négative. Par ailleurs, les tendances antisociales sont très largement répandues dans la population générale, le faible niveau de jugement moral de cette population, dite «normale», n'étant paradoxalement pas supérieur à celui de la population carcérale des condamnés. À l'usage de nos étudiants en sciences criminelles, nous avons créé l'adage suivant : « 10% des personnes sont malhonnêtes par nature, 10% sont honnêtes par culture et les 80% restant le sont par peur du système pénal. » À ces deux raisons principales (ambivalence des liens émotionnels parentaux et indigence morale collective), il faut ajouter l'influence déterminante de facteurs comme les conduites addictives, la folie, l'échec scolaire, le manque de travail, la pauvreté matérielle, l'environnement marginal. Il n'est donc pas tellement étonnant que l'espace géographique et relationnel qu'occupe la communauté familiale, avec la proximité physique et affective de ses membres, soit le lieu privilégié de l'expression de l'agressivité. L'activité de la vie commune au sein du cercle familial est d'autre part peu accessible à l'observation externe, se prêtant aisément à la réalisation et à la dissimulation de forfaits inavouables. La violence familiale est un crime volontiers secret, bourreau et victime étant souvent complices dans le silence et la dénégation. Milieu fermé où se concentrent, se projettent, s'épanchent frustrations, revendications, besoins, passions et haines, la famille est l'exutoire naturel de chaque parent au dépend éventuel des autres. L'intérêt que la presse et le public portent aux drames familiaux s'explique vraisemblablement par le refoulement de l'agressivité de chacun vis-à-vis des siens. Le code pénal semble en tenir compte, la violence intrafamiliale constituant une circonstance aggravante.

Notre bref aperçu criminologique sur l'existence domestique montre combien est pertinent l'ouvrage de Catherine Siguret. On ne se tue bien qu'entre proches semble révéler la lecture des six belles observations racontées par l'auteur. Ces affaires d'homicides volontaires, toutes jugées en cour d'assises, illustrent parfaitement l'ancienneté des perturbations relationnelles liant acteurs et témoins de ces drames. Quoique certaines soient inhabituelles, non représentatives des agressions meurtrières ordinaires de la parenté, on y trouve les éléments classiques de la clinique criminologique : carences affectives, isolement psychologique, abandonnisme, insécurité existentielle, alcoolisme, dépression, contexte névrotique, climat incestueux, assujettissement, jalousie possessive, avidité, rivalité, vengeance... Ces facteurs criminogènes sont ceux des familles brisées, abusives, pathologiques qui constituent le réservoir de la délinquance violente. La crise contemporaine de la famille, la désagrégation de l'unité et de la solidarité domestiques avec perte des repères généalogiques, identificatoires, moraux font que certains jeunes ont de plus en plus de difficultés à développer une personnalité mature rendant possible un fonctionnement individuel, social, professionnel, efficace et positif. Lorsque la souffrance subjective, l'angoisse s'associent à des anomalies caractérielles ainsi qu'à des avatars du sentiment de culpabilité, le risque de comportement déviant devient important. Les personnes proches, côtoyées quotidiennement et/ou fortement investies sur le plan émotionnel, sont alors les premières exposées. Lieu à la fois le plus aimant et le plus violent, le monde familial est pourtant le seul à permettre précocement l'intériorisation et l'assimilation profondes du système de valeur, dans le but d'accéder à un niveau qualitativement élevé de jugement moral. La lutte contre le crime commence par l'éducation des enfants.

Professeur Michel Bénézech

Avis au lecteur

Le récit de ces crimes en famille est parfaitement authentique. Rien n'y a été ajouté ou retranché. Seuls l'identité des acteurs de ces drames et le lieu où ils se sont déroulés ont été modifiés, afin de préserver la vie de ceux qui, parents de criminels ou parents de victimes, tentent d'oublier.

C'est avant tout à eux que ce livre est dédié.

Basile
le patriarche

Basile est un vieux cordonnier toulonnais. Quatre-vingt-un ans ! Quand on aime, on ne voit pas le temps passer. Basile ne l'a pas vu passer. Cela fait sacrément longtemps, maintenant, qu'il est arrivé en France ! Pensez ! Il avait neuf ans quand il est venu de sa Grèce natale !

Et déjà quarante-six ans de mariage ! Forcément, à cet âge-là, tout finit par faire longtemps. Mais Basile connaît bel et bien sa quarante-sixième année de passion amoureuse avec Norma, son épouse légitime. Rare, non ?

Les mauvaises langues vont hausser les épaules : « Il la trompait, elle le trompait, ils se trompaient tous les deux. C'est pour cela que ça a tenu. » Pas du tout ! C'était la fidélité absolue. Ils ont eu quatre enfants, qui ont maintenant la cinquantaine, nécessairement, et des petits-enfants d'une vingtaine d'années. Tout pour être heureux, quand sur le coup de ses vieux jours, on regarde derrière soi le bonheur accompli.

Mais étrangement, ce 2 octobre 1992, Basile choisit de faire passer son épouse adorée de vie à trépas. Le couple qui faisait rêver se retrouve donc à la une de la rubrique Faits divers, à l'âge où les passions, souvent, sont apaisées.

Un crime imprévisible

Tout le quartier le dit : « le crime était imprévisible. » Et sans mentir. On n'essaie pas de cacher des histoires sordides. Il n'y en a pas. On n'essaie pas d'enjoliver la réalité. Elle est jolie. Et on les connaît bien les R. Ce ne sont pas des locataires de passage, comme tous ces jeunes couples qui passent leur vie à déménager. Ils font même plutôt partie des monuments du quartier. Depuis 1936 ils habitent là ! Et comme en plus, la petite boutique de Basile était juste en dessous de l'appartement familial, si on ne voyait pas Madame, on voyait au moins Monsieur.

Dans le petit quartier commerçant où ils habitaient, on aimait bien se mettre sur le pas de sa porte ou de sa boutique pour discuter un peu aux beaux jours ; et à Toulon, on vit sous le soleil, c'est les trois quarts de l'année. Basile avait toujours une petite attention pour l'un, un petit compliment pour l'autre : « Et ton petit, elle est finie sa varicelle ? » ; « Et ta femme, toujours aussi jolie ? » On se disait que Basile était sacrément sympathique.

Et il ne s'en tenait pas à des conversations banales. Il pouvait aussi bien parler de la pluie et du beau temps que de poésie ou de peinture. Il écrivait des poèmes, d'ailleurs. Des poèmes d'amour. Sur sa femme. Même si on ne se sentait pas assez expert pour en juger, on trouvait qu'ils n'étaient pas mauvais, les poèmes de Basile. Et puis c'est en regardant la vie qu'il avait appris à les écrire, pas en suivant passivement des cours de littérature sur les bancs d'un amphithéâtre. Depuis toujours, il s'était intéressé à tout ce qui lui tombait sous la main, avide d'apprendre et d'avancer. Et à quatre-vingt-un ans, il continuait ! Il faisait de la peinture aussi, des petits croquis, « une vieille passion », disait-il. Il avait pris des cours, tout jeune. S'il n'avait pas été cordonnier, il aurait bien continué dans cette voie-là. On se disait que Basile était vraiment un personnage.

C'est peut-être pour cette raison que Norma n'a jamais été très « causante ». Elle était comme beaucoup de femmes de sa génération, un peu effacée, un peu dans l'ombre de son mari. Mais si elle parlait peu, elle avait l'air heureuse.

Quand Basile, fièrement, montre ses poèmes et fait l'admiration, Norma sourit, un peu gênée mais assez flattée sans doute. Fière pour Basile aussi. Depuis qu'il est à la retraite, on les voit tous les jours tous les deux faire les courses dans le quartier, main dans la main. Basile discute deux minutes avec le boucher, deux minutes avec le marchand de fruits et légumes. Il plaisante gentiment en lançant à Norma des regards émus : « C'est une poupée, ma petite femme, dit-il à qui veut l'entendre, un homme de quarante ans en voudrait. » Norma a soixante-dix-neuf ans ! Elle sourit, confuse. On les trouve vraiment charmants. Ah ! Il y a bien des jeunes couples qui pourraient prendre exemple sur ces deux-là !

On a l'impression de l'union parfaite. Basile a travaillé dur pour nourrir sa grande famille. Norma a élevé ses quatre enfants à la perfection. Comme s'ils étaient complémentaires, faits l'un pour l'autre. Jamais on n'a vu l'ombre d'une dispute entre eux deux. Pourtant, c'était pas facile tous les jours. Basile s'est toujours décarcassé pour satisfaire le client. S'il fallait passer une soirée au magasin afin de finir à temps un talon pour le mariage de la cousine, Basile passait la soirée.

Quant à Norma, avec les quatre bambins nés entre 1942 et 1951, elle faisait souvent le chemin de l'école avec un enfant sur un bras, un autre dans la poussette et les deux autres suspendus à ses jupes. Deux garçons et deux filles, un bon équilibre ! On les a vu grandir et jamais ils n'ont posé de problèmes eux non plus. Tous travailleurs et sages, bien polis. Les filles, on les connaît bien puisque l'une vit juste en dessous de l'appartement de ses parents, et l'autre vient régulièrement le dimanche dire un petit bonjour. Tout ce monde-là est marié maintenant. Les fils aussi, mais eux, depuis plusieurs années, on ne les a pas vus. « Des petites brouilles sans importance », a expliqué Basile. Norma a baissé la tête. Sans sourire. Oh ! Ça arrive dans toutes les familles. Ça s'arrangera !

Alors évidemment, quand le malheur frappe chez les R., et par la propre main de Basile, citoyen, époux et père exemplaire, c'est la stupeur dans tout le quartier. Mais le soir du meurtre, Basile avait un

tout autre visage. Il avait « les yeux de la mort »,
comme il a dit.

« Les yeux de la mort »

Basile hurle : « Avoue ! Dis-moi que tu as eu une
aventure. Avoue-le et je te pardonnerai. Ce que je ne
pardonne pas, c'est le mensonge ! » Basile a raison : le
mensonge est ce qu'il y a de pire au monde. Mais
Norma ne peut pas avouer une faute qu'elle n'a pas
commise. À soixante-dix-neuf ans, elle s'intéresse plus
aux études de ses petits-enfants qu'aux aventures
sentimentales. Basile, lui, ne pense qu'à cela du matin
au soir, parce qu'il en est sûr : sa femme le trompe !

Norma est épuisée. Cent fois déjà, elle lui a répété
que ce n'était pas vrai, qu'elle avait passé l'âge. Mais
Basile est très très jaloux : « Pourquoi tu t'es coiffée
comme ça ? C'est quoi cette nouvelle robe ? » D'un
autre côté, si elle se laisse un peu aller, il lui dit : « Tu
vois bien que tu n'essaies plus de me séduire ! » Ce
matin-là, il lui a d'ailleurs demandé de se faire belle
pour lui. Norma a obéi : « Si ça pouvait le calmer... »
Et quand elle s'est retrouvée toute pimpante, il s'est dit
qu'elle se faisait belle pour un autre. L'enfer !

Passer toute la journée en tête à tête avec un
mari jaloux qui ne veut pas entendre raison, c'est
pénible. Norma attend avec impatience le moment de
passer au premier étage chez leur fille Anne. Elle va
parler tricot et voir si Christophe s'applique au lycée

pour ne pas rater son bac. Et au moins, pendant une heure ou deux, il va être question d'autre chose que de ce maudit amant qui n'a jamais existé ! À dix-huit heures, enfin, ils arrivent chez Anne. Norma fait un petit signe complice à sa fille, du genre : « Ton père m'épuise depuis ce matin ! » Anne a l'habitude. Son père a toujours été un tyran domestique, jaloux, possessif, autoritaire, comme on n'en supporterait plus de nos jours.

Basile, assis dans le canapé, bout de rage. Il trépigne sur place et finit par craquer : « Ta mère me trompe ! » Anne lève les yeux au ciel : « Ah ! C'était donc ça ! » Son obsession le reprend. Anne a déjà essuyé vingt scènes entre son père et sa mère sur ce thème. Quand elle était petite, Anne se souvient que son père couvait sa mère d'un regard vigilant mais depuis quelques mois, Basile n'est pas soupçonneux : il est sûr, certain, persuadé que Norma le trompe. Anne, pour la énième fois donc, raisonne son père avec les arguments habituels : « Sois pas bête ; à son âge… ; pense à autre chose… » Mais Basile hausse le ton. Il dit que ce n'est pas la peine de le prendre pour un imbécile, que c'est le comble de la trahison, avec tout ce qu'il a fait pour eux. Il souffre Basile. Au point que ses mots dépassent sa pensée et qu'il se met à invectiver Norma avec un langage fleuri et assez peu poétique. L'envers de la poésie qu'il montre dans le quartier, à vrai dire.

D'un seul coup, il se met debout et hurle, la main sur son sexe : « Mais tu vois ! Je n'y arrive plus ! Ta mère se fait mettre par d'autres ! » Anne a tout entendu mais là, elle sombre dans l'épouvante. Elle explose : « Ça suffit ! Ma mère n'est pas une salope ! » Le cri du cœur ! Mais Basile continue à éructer ses insanités et à échafauder ses idées torturantes. Anne s'arrache les cheveux, pendant que Norma, au bord des larmes, prie de toutes ses forces pour que le cauchemar cesse.

Basile n'est pas loin de pleurer lui aussi. Il lui fait tellement mal, ce supplice de la jalousie ! Il est furieux en même temps. Il décide de remonter chez lui tirer cette affaire au clair, qu'enfin les affreux soupçons qui le tiennent éveillés la nuit et lui gâchent la vie le jour, disparaissent. Norma essaie de rester chez Anne mais Basile la tire par la manche : « Viens ! On va se parler là-haut ! » Norma traîne les pieds. Anne, épuisée par cette lutte inutile, appelle sa sœur qui va prendre son service de nuit à l'hôpital. Elle lui dit qu'elle est inquiète, que leur père, vraiment, est à bout, et que Norma n'en peut plus non plus. Fanny décide d'envoyer son mari réconforter Basile, Norma, mais aussi Anne.

Il faut au moins une délégation familiale pour répéter à Basile qu'il n'a aucun souci à se faire, que Norma l'aime encore, que personne ne l'abandonne, ne le trahit, ne le hait. Anne, son mari et leur beau-frère trouvent Norma en larmes au deuxième étage. Une fois de plus, Basile est à ses genoux, encore fou d'amour et de jalousie et il supplie encore et encore. Les beaux-frères sont un peu impressionnés.

Ils connaissent Basile depuis longtemps. Ils ont l'habitude de le voir têtu comme une mule, au point qu'ils ont pris, depuis bien longtemps, le parti de ne pas le contredire. C'est parfaitement inutile et ça le met en colère. Mais que Basile insulte Norma de façon crue, comme il se met à le faire, ils ne peuvent pas le tolérer. L'un d'eux lance ce qu'il a sur le cœur depuis probablement des années : « Toi ! Le patriarche ! Ton règne est fini ! » Pour Basile, c'est la douche froide. C'est toute sa vie qui s'effondre d'un coup. Il sait que son règne est fini. Il ne se sent plus rien depuis des mois. Il est malheureux mais avant de mettre tout le monde dehors, il regarde sa fille et lui dit : « Regarde-moi bien dans les yeux. J'ai les yeux de la mort. »

Sur cette sortie théâtrale, le rideau tombe. Plus personne ne reverra Norma en vie. Norma n'avait rien fait à Basile, mais la vie avait fait quelque chose à Basile.

Un homme d'honneur

Tout petit déjà, Basile a une ambition : devenir un homme d'honneur. Et sur ses vieux jours, il le répète encore : « Mon honneur passe avant ma santé. » Pour nous, le sens de l'honneur, ne signifie plus grand-chose. On trouve qu'il y a « des gens bien » et « des gens moins bien » et l'on essaie d'appartenir de préférence à la catégorie des premiers. C'est simple. Basile, lui, veut devenir un Dieu vivant, l'incarnation du Bien avec un grand B. L'obsession de la perfection, c'est compliqué. Elle peut même mener en cour d'assises.

Basile est né en plein théâtre des épopées homériques, dans une île au beau milieu de la mer Égée. Des origines pareilles ne s'inventent pas. C'est la contrée des exploits, des vaillants héros et, si l'on n'est plus au Ve siècle avant Jésus-Christ quand il naît, nous ne sommes tout de même qu'en 1911. Et sur son île, ce ne sont pas vraiment les années folles ! On ne plaisante pas avec la vie. On ne plaisante avec rien d'ailleurs, et surtout pas avec les valeurs. On apprend à être un patriarche, avec une femme soumise, comme les parents de Basile. De ses fils on fait des hommes. Des vrais. Fidèles en amour et en amitié. On apprend à ne pas rechigner à la besogne, à ne pas se plaindre. On apprend à ne pas trop se parler entre parents et enfants, ça ramollit le caractère. On apprend à ne pas manifester ses sentiments : ce n'est pas avec de l'amour qu'on fait un homme, mais avec des principes. Alors, Basile grandit ainsi, entre un père autoritaire et une mère effacée qui ne l'embrasse pas beaucoup, sans frère et sœur. Le petit Ulysse en herbe rêve d'un grand destin et d'une réputation irréprochable. La gloire a toujours été un bon remède contre l'absence de tendresse.

À huit ans, mignon tout plein et déjà sacrément bien élevé, enfin... bien « dressé », Basile arrive à Toulon avec ses parents. Une immigration soudaine dont on ne connaît pas les raisons. On pourrait espérer que Toulon, avec le soleil, le pastis et la joyeuse humeur méridionale, va les changer des montagnes arides d'une île dépeuplée. La petite famille pourrait inviter le voisin à papoter à l'heure du café ou aller prendre une bouillabaisse à la terrasse d'un restaurant. Pas du tout ! Ce serait trop gai. On s'enferme plus que jamais. Papa cordonnier travaille dur à la boutique juste en dessous de l'appartement familial et Maman prépare les repas en attendant son « ours » de mari. Basile continue à être bien mignon et fait ses devoirs près de Maman dans un silence affectif total. Comme l'amour est inutile pour être un homme d'honneur, Basile est sur la bonne voie : à l'école, il a de bonnes notes.

À douze ans, Basile voit débarquer un petit frère : Philippe. On ne l'attendait plus, mais des cris de bambin, ont toujours révolutionné la vie des gens, réveillé le bonheur et secoué l'énergie.

Basile s'est d'ailleurs découvert une passion : le dessin. Il a enfin son jardin secret, l'activité qui l'épanouit et le fait sortir en pensée de cette stricte intimité familiale. Ce n'est sans doute pas un hasard si Basile se plaît dans la création et l'euphorie de l'inconnu. Vu l'ambiance à la maison, mieux vaut s'évader !

Employé durant un an dans une entreprise de dessin industriel, il donne toute satisfaction. Créatif, ouvert, plein de talent. Ah ! La belle revanche sur l'enfermement familial ! C'est compter sans le dirigisme du *pater familias* qui, un jour, décide arbitrairement que c'est terminé. Pas vraiment arbitrairement : « Allons donc ! Mon fils ! Artiste ? Saltimbanque ? Mais non ! Tu seras cordonnier, comme papa ! » Retour à la case départ. C'est la frustration absolue et définitive. Notre Ulysse est triste mais obéit. Chez les R., on ne s'épanche pas. Et donc, on travaille dur, à la boutique de Papa.

Le trio étanche a fait place à deux huis clos hermétiquement séparés qui ne se croisent, muets, qu'aux heures des repas : Papa et le fiston en bas au travail, Maman et la chère tête blonde en haut, petit Philippe qui grandit en faisant ses devoirs dans le silence affectif. Le cloisonnement des relations exclut tout sentiment, synonyme de dérive morale dans la tête du père R.

Tragique ironie du sort, le petit Philippe meurt à onze ans. Basile en a vingt-trois. En a-t-il beaucoup souffert ? C'est un mystère. À aucun moment de l'instruction Basile n'a exprimé quels étaient ses sentiments de grand frère vis-à-vis de Philippe. Les inspecteurs ont même un temps décrété Basile fils unique tellement ce frère-là était absent, à croire qu'il n'avait jamais existé. Il ne se souvient même plus de la maladie qui a terrassé l'enfant. Rien. C'est le trou noir. On ne peut pas mesurer l'impact de cet événement sur la vie de Basile. Mais comment imputer son silence à un oubli de vieillard, quand on sait qu'il a appelé son premier fils... Philippe ?

D'ailleurs, Basile a une excellente mémoire. Les experts-psychiatres en seront continuellement surpris, eux-mêmes fascinés par la précision des souvenirs de l'octogénaire, souvenirs ordonnés, archivés, et datés très exactement.

Sa mère, il n'en dit pas grand-chose. À part qu'elle était adorable. Elle vivait complètement dans l'ombre de son mari et n'a jamais vraiment eu voix au chapitre.

C'est donc de son père que Basile a les souvenirs les plus précis. Et quand les anecdotes lui reviennent en mémoire, Basile a beau dire que cet homme-là était formidable, on est pris de doutes. Évidemment, il ne manque pas d'autorité. Une autorité qui confine au sadisme.

Par exemple, quand Basile est adolescent, il rêve d'un cyclomoteur. Normal ! À son âge, on ne devient un homme qu'en roulant en cyclomoteur. Il en repère donc un dans une vitrine, rutilant et désirable, et se met à travailler pour se l'offrir, comme son père le lui a appris. On n'a rien sans travail. Sauf qu'au moment où Basile a réuni tous ses sous dans sa petite tirelire de gamin, le père R. confisque l'argent. Les désirs de Basile sont relégués aux oubliettes. Pour quelqu'un qui serine à son fils la valeur du travail, ce geste est pour le moins incohérent.

Une autre histoire révèle bien les méthodes quelque peu radicales de ce père en matière d'éducation. Basile, plus de soixante ans plus tard, raconte l'anecdote comme si c'était hier. À l'école, il se fâche avec un élève pour une histoire sans importance. Il a appris à ne pas se laisser marcher sur les pieds, à protéger son territoire et sa réputation, quitte à perdre la bataille. Basile ne se laisse donc pas impressionner par son adversaire de trois ans son aîné. Sur le point d'être vaincu, Basile s'empare *in extremis* de tessons de bouteille, blesse légèrement son assaillant et triomphe. Plutôt fier, Basile ! Il a sauvé son honneur et rentre chez lui avec quelques glorieuses égratignures. Il ne se vante pas de son exploit guerrier, silencieux comme un vrai héros. Mais l'ennemi, son père au bras, fait irruption à la boutique R. Le père de Basile voit rouge : « Quoi ? Mon fils a pris les armes quand l'autre n'avait que ses poings ? » Et Papa siffle Basile, comme on siffle le chien, pour qu'il descende s'expliquer. Devant le copain qui, évidemment, doit salement savourer sa vengeance. Muet de honte, Basile qui prend des coups de lime sur les ongles devant tout le monde. La punition du père a répondu à la témérité du fils.

Quand Basile, père et grand-père, va atterrir aux Baumettes, il se posera exactement la même question que le jour de la lime : pourquoi l'honneur n'est pas le seul principe qui régit le monde ? On comprend mieux qu'après tant d'humiliations réelles, Basile ait passé sa vie à imaginer qu'on essayait de l'humilier.

Les enfants de Basile diront que leurs grands-parents étaient « des monstres ». Basile dira : « Mes parents, je leur dois tout. » Et ce n'est pas faux. À vingt-cinq ans, Basile est devenu un homme d'honneur. Sauf qu'il a vécu complètement en vase clos, est devenu parfaitement incapable de s'adapter à la réalité. Dans sa tête, tout est cloisonné et le modèle stéréotypé de l'homme qu'on doit devenir le hante définitivement. On doit devenir un patriarche, intraitable et incorruptible, comme son père a su l'être. Et Basile érige ce père-là en modèle. Basile va être fidèle à tout ce que son père a choisi : la ville d'élection de son père, le métier de son père, le magasin de son père, le foyer au-dessus du magasin. Sauf que les temps changent, et au long de la vie, les gens aussi. Basile n'a pas appris à supporter cette réalité-là. Être un héros des temps modernes va être difficile...

Quand il rencontre Norma, une belle jeune femme d'origine italienne, il entend bien régner auprès d'elle et de leurs futurs enfants comme son père a régné : en patriarche.

Un étrange amour

Comme on le devine, l'amour et Basile, c'est une drôle d'histoire. Après son crime, Basile va jusqu'à dire : « Jamais une femme n'a été aimée comme je l'ai aimée. » Sans doute... Mais cet amour-là fait peur.

Les démonstrations publiques de l'amour de Basile envers sa femme, ses grands discours sur ses enfants ne sont que des cache-misère affectifs. Il a l'air fier et heureux, mais dans le fond, il ne cesse jamais de douter de lui. Persuadé qu'on veut le tromper, le trahir, lui faire faire un faux pas, il veille en despote sur tous ceux qui l'entourent.

Aimer, pour Basile, c'est régner. Et l'on ne règne que sur ce que l'on possède. Basile va essayer de tout posséder, ses enfants, comme son épouse. Et pour posséder, il faut enfermer. Dès son mariage avec Norma, il la coupe donc de ses parents. Indirectement bien sûr. Basile est quelqu'un de bien ; il a le sens de la famille. Mais il se montre tellement odieux avec les parents de Norma que toute discussion tourne au calvaire, que toute entrevue entraîne des colères, des rancœurs, des haines. Norma se rend. Première victoire.

Mais Norma ne sera jamais assez soumise pour rassurer Basile. Au fil des années, elle apprend à s'effacer sans rien perdre pour autant de son appétit de vivre. Elle évite juste de se battre contre la forteresse qui lui sert de mari. Pourtant, Basile la décrète dépressive, pure invention de sa part, mais il lui fallait bien une raison de s'inquiéter. Basile est tétanisé par la peur de perdre Norma, d'une façon ou d'une autre. Si ce n'est pas par le suicide, ce sera par l'adultère.

Il lui fait quatre enfants, en partie pour la garder. Parce que tout compte fait, il est persuadé qu'elle ne voulait pas ces enfants. Alors il culpabilise et fantasme que Norma va « lui faire payer ». Et le prix à payer, c'est qu'elle élève mal les enfants, dans la haine de leur père ! Ce machiavélisme n'existe évidemment que dans la tête de Basile mais il en souffre réellement. Basile est sans cesse persuadé que quelqu'un veut lui faire payer quelque chose. Il a l'amour endetté, cet homme-là.

Sans parents, avec quatre enfants, sans situation professionnelle, un appartement au-dessus de la boutique de son mari, une chose est sûre : Norma ne risque pas de s'enfuir. Dans le huis clos, elle est la première enfermée. Elle y restera la dernière et y laissera jusqu'à sa vie. On a bien demandé à Basile s'il n'avait pas l'impression d'avoir opprimé sa femme. Il ne pouvait pas le nier, alors il a dit : « Oui, mais c'était une soumission dorée. » Il a raconté qu'il lui faisait la belle vie, avec des cadeaux, des voyages, assez d'argent pour mener une existence agréable. Il a même déclaré : « J'étais son ange gardien. » Basile a gardé Norma, c'est évident. Mais l'ange n'était pas immaculé. Pour garder Norma, il était prêt à l'enfermer dans la tombe en dernier recours. C'était sa façon d'aimer...

Sur le même modèle, Basile aime ses enfants. Il dit : « Mes enfants me doivent tout », une phrase qu'il emploie également pour dire sa gratitude envers ses parents. Le bon fils... Basile ou la confusion des sentiments... Au procès, Basile continue à aimer ses enfants : « Mes enfants, je leur demande pardon à genoux, je les ai toujours aimés. » Quel étrange amour que celui qui reprend une mère à ses enfants !

Et puis Philippe, l'aîné, se rappelle avoir tremblé toute son enfance à cause des pas dans l'escalier. « Attention, il arrive », c'est de cette phrase prononcée des centaines de fois avec son frère, que Philippe garde le souvenir. Certes, pour les études, Basile est un bon père. Il surveille, punit, conseille et supervise, mais jamais il ne récompense, n'encourage ou ne donne un baiser. Les gifles pleuvent chez les R. Pour éduquer. Norma essaie de compenser, d'assouplir le régime du patriarche. Elle n'y parviendra jamais.

Un bon père nourrit sa famille, élève ses enfants, leur donne une situation, un métier, mais rien d'autre. En échange, un fils doit le respect et la reconnaissance. Et vingt ans plus tard, c'est l'échec : les fils lui tiennent tête, les fils désobéissent. L'un épouse une communiste, une fille de communiste qui plus est, et son fils devient un sympathisant communiste. Dehors ! Il fallait bien un prétexte pour exiler ce fils qui ne lui renvoyait pas l'image du patriarche ultrapuissant, qui osait le contredire, qui était la preuve encombrante de l'échec de son ambition. Si on n'est pas enrôlé dans la dictature familiale R., on est forcément enrôlé politiquement, enrôlé par l'amour, circonstance aggravante. Vingt ans après l'avoir vu pour la dernière fois, Basile déclarera de ce fils cadet : « C'était un amour. » Un amour bien silencieux.

L'autre fils se marie pour fuir le domicile paternel, mais garde des relations avec ses parents. Ça ne dure qu'un temps. Quelques années avant le drame, il emprunte de l'argent à son père pour acheter une maison et y installer sa femme et ses enfants. Une erreur. Basile, soudain, réclame l'argent. Un caprice, un diktat plutôt. Le fils doit céder et vendre sa maison, se retrouvant sans toit avec sa famille, pour rembourser son père qui n'est nullement dans le besoin. Et si Basile répétait l'affaire de la mobylette ? Le second fils rompt.

Nous ne sommes plus dans une île grecque au début du siècle, mais en France dans les années soixante-dix. C'est ce à quoi Basile ne se fera jamais. « Un autre temps, un autre monde », dira au procès l'avocat de Basile, Me Milon de Peillon. Et c'est vrai. Déjà, lors de la rupture avec ses fils, Balise comprend que le règne du patriarche est fini. Alors il se sent diminué, jusqu'à la sensation de sa propre inexistence. Si ces fils infidèles ne sont pas des hommes d'honneur, c'est bien entendu à cause de Norma qui les a trop gâtés, autant dire aimés. Son premier crime. Dans l'esprit de Basile, les choses sont bien établies depuis toujours : trop d'affection nuit.

En résumé, Basile aime tellement ses fils qu'il les prive de leur mère et il aime tellement sa femme qu'il la prive de ses fils. Norma n'a pas eu son mot à dire. Quand Basile s'est fâché avec eux, il a demandé à Norma d'interrompre également toute relation. Elle a continué quelques mois à rencontrer Philippe, en cachette et la peur au ventre. Mais désobéir n'était pas dans sa nature, et les relations clandestines ont rapidement pris des allures de péché mortel. Norma a souffert de cette rupture, en silence comme toujours.

Progressivement, elle va se laisser enfermer, sans s'en rendre compte et sans pouvoir s'en défendre de toute façon. Plus Basile se sent diminué, plus son angoisse monte. Plus son angoisse monte, plus il isole Norma pour être le centre de sa vie, à défaut d'être le centre du monde. Il la coupe des autres sans relâche. Après les fils, c'est le tour des petits-fils, quelques jours avant le meurtre. Il met littéralement l'un de ses petits-fils dehors, au milieu du repas, pour rester en tête à tête avec sa femme. Il finit aussi par faire fuir les rares amies de Norma qui refusent le thé dominical par lassitude du mari omniprésent.

Les filles, elles, ne sont pas évincées jusque-là. Leur opposition est peut-être plus discrète ; elles sont peut-être plus patientes. Jusqu'à un certain point. À leur tour, elles vont le « lâcher », c'est du moins ainsi qu'il le ressent, quelque temps avant le meurtre. Basile leur en voudra.

Le soir de la scène où Anne hurle contre son père pour défendre sa mère, Basile ne l'oubliera pas. Il n'oubliera pas non plus qu'elle était la confidente de sa mère, qu'elle était le témoin le plus fréquent des scènes puisqu'elle habitait en dessous. C'est encore Anne, plus ou moins consciente du danger, qui propose à sa mère de l'héberger pour qu'elle se repose, loin du dictateur. C'est encore Anne qui va ouvrir la porte sur son père en sang le soir du meurtre. Basile déteste être découvert, lui qui s'applique tant à soigner son image.

Et quand il n'a plus l'aura du héros, il sombre dans la haine, par détresse. Alors au procès, Basile déclare regretter ne pas avoir tué cette fille-là, Anne, comme celle qui, après sa mère, en savait trop. Dans les entretiens avec les psychiatres, Basile, jugé pourtant d'une lucidité étonnante, confond le prénom de sa fille et celui de sa femme, celui de celle qui, dans son esprit, aurait dû mourir et de celle qui est morte.

Quant aux gendres, jusqu'alors à l'écart, ils se mettent en colère le dernier soir, manifestant clairement qu'ils ne l'ont jamais contredit pour avoir la paix mais que là, franchement, ils en ont « ras le bol ». Basile réalise qu'on peut dire « non » à son régime dictatorial, qu'il a échoué sur toute la ligne. Son épouse ne reste à ses côtés que parce qu'elle a peur d'être tuée. Elle le dit. Elle fait même preuve d'humour en disant : « S'il meurt avant moi, le jour de sa mort, je saurai enfin ce que veut dire le mot repos. »

Pourtant, Basile est persuadé d'avoir aimé Norma, d'avoir tout donné à ses enfants. Il ne comprend pas que tout le monde soit contre lui alors que dans son esprit, chacun lui doit tout. Comme on doit tout à un sauveur. Quand Basile réalise, en l'espace de quelques mois, que le respect démesuré dont il rêvait n'existe pas et que celui qu'on lui témoignait ne se manifestait que sous la torture, tout s'effondre. Il ne reçoit plus aucune satisfaction narcissique. Autant dire qu'il est déjà mort. Plus rien ne le retient pour laisser éclater le feu qui couve et s'attise depuis des dizaines et des dizaines d'années. Mais avant, il y eut le déclic.

L'homme dépossédé

Pour un homme d'honneur, un patriarche, un homme qui ne vénère que les valeurs viriles, quel pire chose que la perte de la virilité ? Eh bien c'est ce qui arrive à Basile quelques mois avant le drame.

L'octogénaire était resté alerte. Il était fidèle à Norma, amoureux de Norma, et considérait qu'il était normal de lui témoigner son amour. Physiquement s'entend. Norma n'était pas franchement enchantée. Elle s'en plaignait, même, quand elle osait, à de rares personnes. En réalité, c'est chaque jour ou presque, que Basile désirait l'ultime possession, celle du corps. Il attendait de sa femme la soumission de l'âme, mais aussi celle du corps : le plaisir et le désir exigés chez une vieille femme de soixante-dix-neuf ans ! La quête d'amour de Basile prenait toutes les formes, même à quatre-vingt-un ans. Son orgueil de mâle est démesuré et a besoin d'être éternellement rassuré, quoi qu'il en coûte à celle qu'il aime. Alors quand il devient impuissant après une opération de la prostate, quelques mois avant le drame, il est fou d'angoisse. Il a l'impression, vraiment, qu'on lui prend son honneur, autant dire toute sa vie.

Norma, en revanche, imagine qu'elle va enfin avoir la paix de ce côté-là. Faux espoir. Basile ne renonce pas. Il réclame à son médecin un remède dont il espère des résultats, mais qui ne marche pas. Nouvelles angoisses. Basile ne peut pas envisager une seconde ne plus posséder Norma, dans tous les sens du terme. Il se dit que sa femme va lui échapper, ne plus l'aimer. Il essaie de lui faire l'amour autrement, comme il peut. Mais rien ne lui convient. Il panique. Il perd toute confiance en lui. Il n'arrive plus à vaincre, à triompher. Il est battu, même sur ce terrain-là, son dernier lieu de pouvoir, et pas le moindre, pour celui qui a toujours voulu être un chef de clan méditerranéen à l'ancienne mode.

Après toutes les pertes de sa vie, après la perte de sa virilité, après la perte du plaisir de son épouse, l'ultime dépossession pour Basile, serait de savoir sa femme dans les bras d'un autre. L'honneur, alors, serait définitivement bafoué. Et Basile aurait eu raison jusqu'au bout de se croire persécuté.

Il va alors inventer de toutes pièces la tromperie de Norma.

La trahison

Persuadé que sa femme le méprise parce qu'il n'est plus un homme, Basile se met à l'humilier. Il la force à se regarder nue dans un miroir. Il décrit à ses filles son désarroi : « Elle était si belle autrefois ! Regardez ce qu'elle est devenue. » Basile est à bout, n'a plus aucun souci de pudeur, de convenance. Il ne sait plus ce qu'il dit, fait part à quelques connaissances de ses craintes folles et sape du même coup sa réputation. Interloqué, on ne se prive pas de lui reprocher ses soupçons si blessants à l'égard de sa respectable épouse. On lui répond avec brutalité. Basile n'a plus rien ni personne à quoi se raccrocher. Sauf à la fidèle Norma. Et si elle était infidèle ?

L'imagination de Basile est galopante. C'est certain, depuis un moment, Norma est plus coquette, surveille sa coiffure. Il l'épie, la questionne. Norma nie cent fois, des mois durant. Basile ne trouve pas d'oreille compatissante dans sa famille et imagine des complots. Norma prend peur. Un jour, elle raconte à Anne que Basile lui a mis un couteau sous la gorge pour la faire avouer. Elle se confie, comme si elle sentait, elle qui supporte le poids du tyran depuis quarante-six ans, que cette crise est la dernière. Mais elle refuse de se séparer de Basile, même provisoirement. Il la tuerait. Selon elle, c'est certain. Alors, elle se dit qu'elle a l'habitude de clore les discussions par son silence obstiné, l'habitude de laisser Basile aller au bout de son obsession du moment. Sa colère finit toujours par passer.

Mais un jour, Basile dit à sa fille Anne : « Je l'aurai ; je vais lui tendre un piège. » Personne ne veut ni ne peut l'en croire capable. Et le 23 août 1992, Basile trouve enfin la preuve tant espérée de la « trahison » de Norma. Et si le meurtre du 2 octobre n'est pas prémédité, son mobile l'est absolument dès ce jour-là.

Quand Anne est en vacances, Norma nourrit les oiseaux dans l'appartement du dessous. C'est une tradition, un rituel. Ce matin-là, Norma descend, comme tous les matins. En haut, Basile s'impatiente, regarde l'heure. Il lui semble que cela fait une éternité que sa femme est descendue, incontestablement plus longtemps que d'habitude. En regardant par la fenêtre qui donne sur la cuisine d'Anne, Basile aperçoit Norma. Elle fait un signe de la main. « À qui ? Où est l'amant ? » songe aussitôt Basile. En colère, inquiet dira-t-il, il descend l'escalier en chemise et caleçon pour aller frapper à la porte. Pas de réponse. Il assure avoir tambouriné. Hurlé. Aucun voisin n'en témoignera. Aucun voisin n'a entendu. Norma non plus. Pour son malheur, puisqu'elle le paiera de sa vie. Après plusieurs minutes, elle remonte au deuxième étage. Dans l'esprit de Basile, la vérité, terrible, a éclaté, sa vérité : le signe de la main était destiné à faire monter l'amant qui attendait le feu vert ; l'absence de réponse vient de la présence de l'amant qui donne du plaisir à celle que Basile continue à appeler « ma poupée ». Et l'expression est bien révélatrice de la réalité. Norma est un jouet, un objet. Qu'il veut pour lui et lui seul. Après des années de vie commune, Norma ne veut plus faire l'amour avec lui. Lui ne peut plus. C'était déjà pénible. Et voilà qu'elle bafoue l'honneur de toute la famille ! Trop, c'est trop.

Quand Norma remonte à l'appartement conjugal, c'est la crise, une crise qui ne s'arrêtera plus jusqu'à ce 2 octobre fatal. « Avoue-moi que tu as eu une aventure. Je te pardonnerai. Ce que je ne pardonne pas, c'est le mensonge. » « Je n'ai rien à avouer ; je n'ai pas besoin de ton pardon », réplique Norma impassible. Sans faute, il n'y a pas de pardon. Mais la faute de Norma, depuis que Basile n'a plus de prise sur sa vie finissante, depuis qu'il ne peut plus la dominer sexuellement comme il le souhaiterait, c'est son existence elle-même. Cent fois, en présence ou non de témoins, ce dialogue de sourds a lieu. Basile se sent trahi et on ne lui demande même pas l'absolution, alors qu'il régnait en maître sur sa femme depuis toujours. Pour un homme qui ne supporte pas d'être lésé, c'est le comble de la déchéance.

La seule personne qui note un changement dans la vie du couple, hormis la famille, est le fromager du quartier, quinze jours avant les faits.

Les éternels amoureux marchent côte à côte, Norma tête baissée et Basile l'air furibond. Ils n'entrent pas tous les deux dans la boutique et Basile attend dehors avec impatience. Il lève une main menaçante en direction de Norma lorsqu'elle ressort du magasin. Le fromager croit deviner une dispute. Étrange pour un couple de vieux si tranquilles...

Basile est devenu le véritable détective privé de sa propre épouse. Il ne la quitte plus d'une semelle, suit la direction de ses regards, soupçonne le coiffeur et abandonne cette hypothèse au profit du boucher ou d'un autre. Une seule chose est sûre : l'amant est dans les parages ! Norma a peur. La maladie de Basile, celle du pouvoir, ne passe plus inaperçue, même aux yeux du monde extérieur.

C'est quand Basile va se sentir « lâché », abandonné parce qu'il s'est pris à son propre piège, qu'il va tuer. Il va punir Norma de tous ses crimes, ceux fantasmatiques de ne l'avoir jamais aimé, d'avoir si mal élevé ses fils qu'ils l'ont quitté, lui, le patriarche, de l'avoir si mal secondé dans son travail, de n'avoir jamais pris de plaisir entre ses bras et ceux, non moins fantasmatiques, de l'avoir poussé à salir sa réputation, de l'avoir poussé à bout, réduit à néant, de l'avoir, enfin, déshonoré.

À l'extérieur, on avait une belle image de la tranquillité. Mais à l'intérieur, on s'est déchiré, on s'est enfermé. À la proue du vaisseau R., Basile avait fière allure, tant qu'il se croyait surpuissant. Mais le vaisseau avait des brèches de plus en plus béantes. Il a fini par sombrer. Avec Norma.

La punition

C'est sa vie que Basile punit à travers Norma. Le vrai bilan de Basile, ce n'est pas une épouse heureuse et quatre grands enfants dont il peut être fier. C'est une épouse lasse et quatre grands enfants dont il pourrait être fier si deux d'entre eux, les hommes, ne l'avaient pas quitté, et deux autres, les filles, n'avaient pris le parti de leur mère contre lui. Et comment aurait-on pu supporter ce dictateur-là ? Même Norma ne supporte plus. Alors à quoi bon vivre ?

Lorsqu'ils passent voir leur fille, le jour du meurtre, Basile se livre à ce qu'il pense être une petite vérification. Il frappe chez Anne, qui vient naturellement ouvrir la porte. Il croit alors avoir la confirmation que Norma était bien avec son amant quelques jours plus tôt, lorsqu'elle prétendait ne pas avoir entendu frapper. Basile regarde Norma, et énonce son verdict : « Tu vois, elle, elle a entendu. »

Ce dernier soir, après la scène, Norma se couche et s'endort. Basile lui demande si elle veut mourir et n'entend pas de réponse. Alors Basile décide d'en finir avec toute cette vie ratée, et de commencer par tuer celle qui n'a pas réussi à faire de lui Ulysse, la créature mythique et fabuleuse qu'on lui avait demandé d'être quand il était petit.

Basile va alors chercher dans une brèche du bidet le pistolet d'ordonnance qui sommeillait depuis la guerre, la preuve de son héroïsme, de son patriotisme. Il l'avait volée à un officier allemand en 1944 et comptait un jour se faire une sorte de musée où figureraient ses distinctions et divers trophées. L'homme d'honneur, au crépuscule de sa vie, voulait se rendre hommage à lui-même. Il y aura beaucoup de questions autour de ce revolver. Simple fétiche ou arme qui peut servir ? Basile affirme en avoir oublié l'existence jusqu'à cette soirée. Les experts, eux, affirment qu'elle a été entretenue, lubrifiée, nettoyée. Nul n'en a su l'existence jusqu'à ce qu'elle serve. Et pourquoi cacher tant d'années l'objet que l'on destine à trôner dans une vitrine ? On n'en saura pas plus.

Dans la chambre, tout est bien rangé. Les vêtements de chacun sont soigneusement pliés sur des chaises. Norma est paisible. Basile donnera différentes versions de son passage à l'acte. Tantôt il dira qu'elle a dit « Tue moi », tantôt qu'elle n'a pas répondu à son « Veux-tu vraiment mourir ? » et qu'il a conclu à un acquiescement. Le seul fait dont Basile se souvient, dit et redit, c'est qu'il lui donne un baiser avant de tirer. Et on peut sans doute le croire. L'amour et le meurtre étaient tellement emmêlés dans son esprit... Basile avait enfermé Norma dans la vie. Il fallait qu'il l'enferme dans la mort.

Quand Basile tente de se suicider et se rate, c'est l'ultime échec. Il souffre de sa plaie à la bouche. Il va supplier sa fille de l'achever, puis les pompiers. Sincèrement sans doute. Les chevaux nobles et vigoureux, on les achève quand ils sont blessés. Par respect. Cet ultime honneur lui sera bien entendu refusé. Basile devra vivre, et mourir sans gloire.

La justice des hommes

Quand les pompiers arrivent sur les lieux à deux heures du matin, ils trouvent deux vieillards allongés sur un lit dans une chambre à coucher calme et coquette. L'épouse est décédée suite à un coup de revolver tiré à bout touchant, c'est-à-dire à moins de cinq centimètres de la peau de la victime. L'époux presque inconscient gémit un peu, de douleur et de honte, et réclame dans un souffle qu'on lui donne la mort. C'est le dernier tableau d'un étrange amour.

Le lendemain, dans la chambre de l'hôpital Nord de Toulon, Basile renaît à sa nouvelle vie, une existence où il entend rester un homme d'honneur. Dans sa nouvelle peau de criminel, Basile tentera encore d'être grandiose. À la police qui vient l'interroger à son chevet, il jurera la pureté de son amour. Aux psychiatres, il ne cessera de répéter son droit à être jugé et son refus de « finir chez les fous ». À la Cour, il clamera : « Je préfère la prison dans l'honneur que de vivre dans l'opprobre. » Basile admirait Balzac, les huis clos familiaux, les personnages rigoureux, les héros au noble cœur.

Mais le roman de Basile s'est teinté de sang et son épopée familiale est bien pauvre en exploits. Il n'apparaîtra plus que comme un « vieux papi obsédé sexuel », comme le titrera *Le Méridional*, ou encore comme l'un des plus vieux détenus de France, le doyen des Baumettes, des honneurs bien relatifs.

« Il est difficile le cas de votre client », avait-on dit à son avocate M\ Milon de Peillon. D'autant plus difficile que lors du procès, tous ses enfants et petits-enfants sont assis, effondrés, sur les bancs de la partie civile. Il aura beau dire : « Mes enfants, je leur demande pardon à genoux. » Mais il était un peu tard.

Le 14 février 1995, jour de la Saint-Valentin, la cour d'assises de Toulon l'a condamné à quinze ans de réclusion criminelle. Pour un homme de quatre-vingt-trois ans, c'est la certitude de ne plus voir la vie qu'à travers les barreaux. La loi familiale du patriarche était punie par la loi des hommes.

• • • • •

Basile n'était pas fou. On ne vit pas quatre-vingts ans sous les apparences de la normalité, parfaitement inséré dans la société, quand on est fou. En revanche, on peut très bien vivre comme tout le monde, et en liberté, quand on est un criminel en puissance qui ne laisse éclater la foudre qu'en famille.

Les experts-psychiatres ont reconnu Basile responsable de ses actes. Les jurés l'ont envoyé pour le restant de ses jours en prison. On reste troublé, pourtant, parce que Basile a accompli un crime aussi inadmissible qu'invraisemblable, qu'il en a été puni, et que du même coup, aujourd'hui, il est aussi un grand-père incarcéré qui ne reçoit pas de visite au parloir.

En cour d'assises, pour juger les faits, on dévoile le passé du coupable. On fouille sa vie, on enquête sur sa personnalité, son caractère, ses agissements. Du même coup, c'est ce passé-là, aussi, qui est jugé. Avant d'être un criminel, Basile était un despote qui ne supportait ni critique ni contradiction. Il écrasait les rébellions, fûssent-elles de ses fils, pour sauver son image. Comme un rouleau compresseur. Il arpentait sa vie avec des œillères parce qu'on ne lui avait jamais appris à ouvrir les yeux. Le jour où il les ouvre parce qu'« il ne peut plus », parce qu'il ne peut plus jouer les héros, sa vie passée lui apparaît comme une longue succession d'erreurs ou d'échecs, de frustrations, d'idéaux inapprochables parce que périmés, de castrations diverses. Quel étrange hasard, d'ailleurs, que la dernière torture de Basile soit celle de l'impuissance physique ! Le jour où ses yeux se dessillent, il a les « yeux de la mort », selon son propre aveu, parce qu'il n'y a que de la mort là où il est passé. À quatre-vingts ans, quand on a vécu en tuant les obstacles, quelle autre issue que le meurtre, à nouveau ?

Le crime de Basile n'était ni un coup de tête, ni un coup du sort. Juste une terrible porte de sortie quand on a toujours emprunté des chemins impraticables, les routes de l'honneur et de la gloire, et qu'on s'y est écorché jusqu'à ne plus se sentir tout à fait un homme. On perd son âme, ensuite son corps. Que reste-t-il ?

Restait la fidèle Norma. Comme à tous les procès, on n'a rien su d'elle. Enquêter sur la victime ne se fait pas. Ce serait salir la mémoire du défunt. Sans doute est-elle morte d'avoir été fidèle, d'avoir trop aimé Basile, d'avoir trop lu la haine au cœur de ses entrailles.

Après quarante-six ans de vie commune, un conjoint est un miroir. L'image que renvoyait docilement Norma était insupportable. Avant le meurtre, Basile regardait beaucoup sa femme. Il lui disait souvent : « Regarde-toi dans la glace. Regarde comme tu es vieille. Regarde comme tu as changé. » Et lui ? Ne pensait-il pas la même chose de sa vie ? Où était passé le fougueux jeune homme plein de grands sentiments, d'espoirs insensés et de rêves de puissance ?

C'est une vie commençante que nous allons maintenant découvrir avec Marie-Ange. Elle est tout le contraire de Basile. Elle est aussi jeune qu'il est vieux. Elle a eu une éducation aussi anarchique que celle de Basile était rigoriste, une vie aussi décousue que celle de Basile était organisée. On ne peut la soupçonner ni de sénilité furieuse, ni de rigidité morale.

Marie-Ange, c'est l'histoire d'une jeune fille de dix-huit ans, séduisante, pleine d'entrain, enceinte de neuf mois. Elle pousse à peine les portes de la vie. Et elle va tuer. Basile s'était laissé enfermer dans son propre piège ; Marie-Ange, elle, a été prise à celui qu'on lui a tendu.

• • • • •

Marie-Ange
de la mort

C'est la première nuit de l'été à Avignon. Le ciel est clair et étoilé. Les lycéens discutent vacances et résultats du bac sur les bords de fontaines et dans les cafés. Les premiers touristes se pressent pour avoir une table de restaurant en terrasse. Dans les rues, on entend des rires et des conversations enjouées. Encore une belle saison qui s'annonce !

Le 22 juin 1982, à 8 heures du matin, une femme de ménage arrive aux entrepôts de meubles D., comme d'habitude. Par ces matins clairs et tièdes, on se lève plus facilement ! Et puis elle aussi est bientôt en vacances. En lessivant la terrasse, elle aperçoit au loin, dans le jardin qui borde le bâtiment, une forme sombre qui dépasse d'un bosquet. C'est le corps calciné d'une femme de trente-quatre ans. Elle s'appelait Hélène T.

Le même 22 juin, à 6 heures du matin, une jeune fille de dix-huit ans arrive à l'hôpital d'Avignon. Elle va accoucher. C'est beau, un enfant qui naît à l'orée de l'été. La jeune fille n'est autre que Marie-Ange T., la fille d'Hélène, morte quelques heures plus tôt. Et la première visite que reçoit la jeune maman est peu ordinaire : c'est la police. Parce que la veille de son accouchement, dans la nuit, juste avant les contractions, Marie-Ange a tué sa mère.

Marie-Ange a étranglé sa mère, avec l'aide de deux copains. Ensuite, ils ont brûlé le corps. Parce qu'il faut « faire brûler le corps des sorcières pour qu'elles ne reviennent plus », explique Marie-Ange, arguant de ses origines gitanes. Alors, bien sûr, on pourrait croire que c'est le crime sordide de trois grands adolescents parfaitement déments. Mais ce n'est pas le cas. Marie-Ange aimait sa mère. Elle l'aimait tellement, qu'elle n'a pas supporté que sa mère l'abandonne. Avant de devenir mère à son tour, il fallait qu'elle la tue.

Pas comme les autres

À seize ans, Hélène rêve de s'appuyer sur une épaule virile. Elle n'a jamais eu de père, juste des beaux-pères plus ou moins de passage. Paul est son cousin, le fils de sa tante maternelle, la figure masculine immuable de la famille. Il a vingt-quatre ans, l'âge où les hommes commencent à être solides et rassurants. Hélène tombe enceinte et accouche de Marie-Ange, puis de Jean-Marie, moins d'un an plus tard. La petite famille ne vit de rien et habite chez la mère de Paul.

Mais Hélène aime les hommes. Tous les hommes. Elle aime les grands, les petits, les jeunes, les vieux, les beaux et les moins beaux. Elle aime les rencontres et les belles robes. Elle réalise vite qu'elle peut allier l'utile à l'agréable : contre de l'amour, elle a une belle robe, et elle reprend le cours de sa vie. Elle ne se prostitue pas à proprement parler ; disons seulement qu'elle tombe systématiquement amoureuse d'hommes qui l'entretiennent... Elle va et vient, découche, emmène ses enfants quelques mois en caravane, les met à la pouponnière, les pose ici ou là. Le cousin Paul suit ou ne suit pas, compte sur sa propre mère pour s'occuper des enfants quand Hélène les laisse là.

Quand Jean-Damien a six mois, Hélène suit définitivement un amant de passage. Jean-Damien est vite confié à l'Assistance publique. Hélène placera également, des années plus tard, un enfant d'un autre « lit ».

Mais Marie-Ange, elle, échappe à cette habitude d'Hélène, sans que la raison en soit claire. C'est le début de son errance. Hélène la garde quelque temps, c'est-à-dire qu'elle la dépose chez sa mère, mais on lui retire la garde de l'enfant. C'est vrai qu'elle ne travaille pas et mène une vie assez instable que la morale réprouve. Les services sociaux mettent Marie-Ange à la pouponnière et cherchent qui pourrait bien s'occuper d'elle. La mère de Paul, justement, se propose. Elle connaît la petite depuis sa naissance et s'y est attachée. Marie-Ange atterrit donc chez cette grand-mère paternelle, à qui la garde est confiée.

Paul, artisan potier de son état, ne travaille toujours pas vraiment et vit chez sa mère ou dans l'appartement d'à côté, au gré des déménagements.

La grand-mère et Joseph, son second mari, ont en effet la « bougeotte ». Ils vivent là où les aléas de la vie et les envies les emmènent, toujours dans les environs d'Avignon, par tranches de quelques mois, dans des habitations qui ne conviennent pas forcément à un bébé, dans une usine désaffectée par exemple.

Déjà, alors que Marie-Ange est une toute petite fille, les services sociaux se penchent sur son cas tous les trois mois. Ça ne s'arrêtera plus avant la cour d'assises. Mais elle est difficile à suivre, cette petite fille. Entre six ans et neuf ans, elle change trois fois de village, trois fois d'école.

Elle se montre très attachée à sa grand-mère, qu'elle appelle Maman, et à son père, parce qu'il ne l'a pas abandonnée. Mais à l'école, elle a honte, parce que cette maman-là est plus vieille que les autres mamans. Les mamans de ses copines sont jeunes et jolies mais Marie-Ange ne dévoile pas son secret parce qu'elle a aussi honte d'avoir été abandonnée. De toute façon, elle n'a jamais le temps de se faire des vraies copines ; elle déménage tout le temps. Cela règle les problèmes de confidence, mais pas franchement ceux d'identité.

À sa grand-mère, elle dit qu'elle aimerait avoir une mère plus jeune. À son père, que si Maman était une bonne maman, ils pourraient être tous les quatre, avec ce frère qu'elle ne connaîtra pratiquement jamais. Marie-Ange a déjà beaucoup de soucis. Elle fait encore pipi au lit, ronge ses ongles, pleure sans raison apparente, pique des colères ou sombre dans le mutisme. À l'école, on ne parvient pas à s'occuper d'elle, à mobiliser son attention, à la cerner. On la met dehors ! De l'école primaire ! L'assistante sociale conseille à la grand-mère d'envoyer Marie-Ange en psychothérapie. La grand-mère accepte. Marie-Ange a neuf ans.

La haine

Marie-Ange va chez la psychologue. De temps en temps. De toute façon, elle ne lui parle pas. Ou plutôt, si. Elle se lance dans un flot de paroles, et d'un seul coup, « ça coince ». Alors c'est sa grand-mère qui parle à sa place. Difficile d'établir un diagnostic dans ces conditions, mais avec déjà si peu d'éléments, la psychologue s'alarme et la déclare prépsychotique.

Que cache donc Marie-Ange ? Ce qui « coince », c'est ce qu'elle ne peut pas dire, toutes ces horreurs qui trottent dans sa tête comme des grosses araignées maléfiques, toute cette mythologie angoissante que lui transmet sa grand-mère, par maladresse plus que par méchanceté sans doute.

Elle n'ose pas dire que sa grand-mère lui répète toute la journée : « Tu seras putain, comme ta mère », ou encore : « Les chiens ne font pas des chats. » Elle cache que sa grand-mère, exploitant abusivement des origines gitanes plus ou moins avérées, lui dit que sa mère « est une sorcière et vit avec des Arabes dans une maison où il y a des serpents et où elle fait de la magie noire ». Elle ne dit pas non plus que sa grand-mère lui explique que sa mère jette des sorts à son papa et à sa mamie pour qu'ils meurent et qu'elle se retrouve toute seule. Vraiment toute seule.

Drôles d'histoires, drôles de mystères pour une petite fille qui grandit. Elle ne répète pas le leitmotiv de ce doux foyer qui lui offre une joyeuse image de l'auteur de ses jours : « Ta mère est une moins que rien, une salope, une serpillière. »

Dans le doute, la psychologue conseille à la grand-mère de faire rencontrer Marie-Ange et sa mère, pensant que ce lien ne peut que lui faire du bien, que le manque vient peut-être de là. La grand-mère, évidemment, s'y oppose. Elle répond : « Sa mère ne lui manque pas ; d'ailleurs, elle n'en parle jamais ; la preuve, elle m'appelle Maman. » C'est limpide. Sauf qu'à neuf ans, quand Marie-Ange croise sa mère dans Avignon, tout à fait par hasard, elle la frappe avec ses petits poings enragés parce que sa mère a dit : « Je veux la voir. » Marie-Ange nourrit une petite colère d'enfant.

Avec la préadolescence, la colère se transforme en une haine qui monte. De fait, Marie-Ange a dit à la psychologue : « Ma mère, je veux pas la voir. Elle habite partout avec tous les hommes. »

À dix ans, Marie-Ange est insupportable, on s'en serait douté. Elle fait tout pour se faire remarquer et faire enrager tout le monde. Elle laisse le chien faire ses besoins dans l'escalier, casse les meubles, déchire ses vêtements, provoque tout le monde et se montre d'une impertinence rare. La grand-mère cède mais craque nerveusement.

Quant au grand-père, le mari de sa grand-mère du moins, quinze ans de légion derrière lui et beaucoup moins de scrupules, il n'hésiterait pas à lui faire des

« choses », c'est en tout cas ce qu'affirmera Marie-Ange après son crime. Est-ce la raison de l'agressivité de Marie-Ange envers lui ? Toujours est-il que s'il s'avise de la réprimander, elle le renvoie dans ses quartiers : « Toi, t'as rien à dire. D'abord t'es pas mon père. C'est à Papa de me punir. »

Papa punit de temps en temps. Marie-Ange, alors, hurle, bien plus fort que ne le provoqueraient quelques gifles, juste pour ennuyer toute la cage d'escalier et ne pas se laisser oublier. Les voisins, furieux, réclament qu'on expulse ces locataires bruyants. Le grand-père pique des colères noires contre son beau-fils qui se laisse vivre, ne travaille pas, fait héberger cette fille envahissante qui épuise la grand-mère et cause des ennuis à tout le monde. Après X demandes du couple, Marie-Ange est placée. Après la mère, c'est la grand-mère qui l'abandonne ! Marie-Ange a treize ans.

Comme on s'en serait douté, la scolarité de Marie-Ange est un échec complet. Entre neuf et onze ans, errant d'école en école où on ne veut pas d'elle, elle parvient tout de même à être admise dans une sixième spécialisée, mais sans avoir obtenu son certificat d'études primaires.

C'est à ce moment-là que Marie-Ange est séparée de sa famille et vit en internat. Après quatre mois de sixième, on la congédie. Elle a frappé son professeur de français, la femme qui enseignait sa matière préférée. Pourquoi ? On ne sait pas ! Deux mois dans un centre de rééducation pour cas difficiles, et Marie-Ange est à nouveau congédiée. Même là, on n'en veut pas. Elle règle tout par la violence, adore les couteaux et guette les bagarres pour se jeter dans la mêlée. On la replace dans une sixième spécialisée et, évidemment, elle est mise dehors au mois de juin. Même punition, même motif. Elle a frappé une surveillante.

L'année d'après, Marie-Ange a quatorze ans et on l'inscrit dans un autre établissement, en quatrième directement, compte tenu de son âge. Après un an, elle a sillonné tous les établissements, spécialisés ou non, semé la terreur dans tous les internats et plus personne n'en veut. Un seul refuge existe pour elle : chez sa grand-mère. Inutile de préciser qu'elle n'y est pas accueillie comme le Messie.

De fait, à chacun de ses séjours chez sa grand-mère, qui a définitivement élu domicile à Avignon, pas dans les quartiers cossus évidemment, Marie-Ange a été infernale. Elle est devenue adolescente et plutôt jolie : le portrait craché de sa mère ! Même la génétique y va de son fardeau. Cette ressemblance lui vaut, bien entendu, quelques remarques bien senties de la part de ses grands-parents. Une longue chevelure brune et ondulée, de grands yeux bruns pétillants, la peau mate, un visage fier et des rondeurs qui lui donnent à la fois l'air d'un bébé et d'une femme.

Marie-Ange plaît incontestablement. Elle a un certain charisme, est intelligente, et a du caractère, elle en a fait preuve à ses dépens. Si elle n'a aucun bagage intellectuel, elle a le bagage nécessaire pour avoir de mauvaises fréquentations. Elle rencontre donc des délinquants de petite envergure, des filles un peu perdues comme elle. Elle ne fréquente les garçons que par amitié mais se dévergonde avec ses copines, dont elle change sans arrêt. À treize ans, elle joue les filles affranchies en allant voir des films pornographiques au sex-shop du coin. Elle se met à fumer deux paquets par jour, à boire de la vodka, du whisky, des bières, n'importe quoi du moment que ça enivre. Pas inconsciente pour un sou, elle expliquera plus tard : « L'alcool m'aidait à oublier. » Elle passe ses nuits en discothèque à danser pour se dépenser, mais il n'y a rien à faire : la sueur n'élimine pas la haine.

Et Marie-Ange « a la haine », expression adolescente qui prend chez Marie-Ange tout son sens. La haine dans le sang ! Au propre comme au figuré. Contre sa mère, contre sa grand-mère de chez qui elle fugue tout le temps et aussi contre elle. Elle se demande pourquoi elle existe. Elle est partout indésirable.

À quinze ans, elle fait sa première tentative de suicide. Sauvée de justesse, on l'envoie dans une clinique psychiatrique où elle fera plusieurs séjours par la suite. Les psychologues, les neurologues, les psychiatres et autres médecins, se penchent sur son cas. Mais ils ne peuvent que constater les dégâts et lui donner des « régulateurs d'humeur », autant dire des médicaments qui l'abrutissent, et qu'à sa première sortie elle va mélanger à une tequila-rapido, histoire d'atterrir à nouveau à la clinique. Après six mois d'hôpital, elle retourne chez sa grand-mère et l'enfer continue. Pour la grand-mère, comme pour Marie-Ange.

C'est vrai, avec la vie qu'elle mène, Marie-Ange rate tout ce qu'elle entreprend. Un stage de coiffure un an ici, un stage de sténo six mois là, tout l'énerve et soit elle finit par frapper quelqu'un, soit elle claque la porte elle-même. Au salon de coiffure, elle trouve que les autres employées font trop de « chichis », au cours de sténo, qu'on la prend pour une « tarte ».

Elle ne se plaît nulle part. Pour tout arranger, son père se remarie et fait un charmant bambin. En soi, ce pourrait être un départ joyeux pour une nouvelle vie.

Mais Marie-Ange est tellement insupportable que la belle-mère n'en veut pas chez elle. Nouvel abandon.

Et Marie-Ange continue à errer de clinique en fugue, avec des rockers de passage, en séjours chez la grand-mère, au gré des tentatives de suicide, des rencontres et des disputes. Et c'est à l'occasion d'une fugue que la vie de Marie-Ange prend un vrai tournant.

Marie-Ange apprend à rêver

La haine qui habite Marie-Ange a aussi son bon côté quand elle devient rage de vivre. Parce qu'en dehors des périodes de dépression ou d'ébullition violente, Marie-Ange a la rage de vivre.

Elle a grandi sans structure familiale, sans structure sociale, et à dix-sept ans, elle est comme une belle plante sauvage pleine de vie. Elle adore rire, a découvert les joies de l'amitié, même si elle est passagère et s'arrose à grands renforts de rasades de whisky. Elle aime ce qui est nouveau, excitant, ce qui la pousse hors de ses limites, tout ce qui est extrême. Avec son émotivité à fleur de peau et son romantisme échevelé, elle rêve aussi d'une vie en pleine nature au milieu des lapins, des petits oiseaux et des arbres qui fleurent bon la sève. Pour elle, ce n'est pas incompatible : elle rêve de « se shooter au bonheur ». Bref ! Quand elle rencontre le prince charmant, tout l'avenir dont elle avait rêvé devient concret, même si ce prince-là trimballe un passé qui n'a rien à envier au sien, et habite le même genre de cité HLM qu'elle. La forêt dont elle rêvait, c'est comme si elle y était. Puisqu'elle est amoureuse.

Il s'appelle Jean-Luc. Elle le trouve beau. Il la trouve belle. Il est son premier amour et son premier amant. Il a quelques années de plus qu'elle et vit de petits larcins mais peu importe, puisqu'elle l'aime.

Juste une fois, Marie-Ange le trompe. Parce qu'il est difficile de vivre avec Jean-Luc qui vole. Elle n'est pas toujours sereine. Et un soir, par peur, elle se retrouve dans le lit d'un dénommé Alain. Juste pour voir. Juste pour un câlin. Juste pour un soir.

Mais c'est Jean-Luc qu'elle aime. Après cette incartade, elle en est sûre. Elle se fait tatouer sur le bras un cœur avec ses initiales, et à côté, un point qui symbolise sa solitude passée. Elle lui dit que depuis qu'il existe, elle n'a plus envie de mourir. Jean-Luc, représente à lui tout seul sa nouvelle famille, donc sa première raison de vivre. Ce garçon, en plus, est un gentil garçon et l'aime tendrement.

Marie-Ange ne s'embarrasse pas de contraception et tombe enceinte. C'est le bonheur qui s'agrandit. Marie-Ange reporte sur cet enfant à venir tout l'espoir possible. Elle appelle Jean-Luc son « gros lapin adoré » et dès qu'ils sont éloignés l'un de l'autre, lui écrit des lettres enflammées pleines de serments d'amour et de promesses d'éternité. Ils ont confiance en l'avenir. Jean-Luc lui écrit des petits mots avec des gros cœurs et des dessins romantiques de couples qui poussent des landaus. Ils sont fidèles l'un à l'autre maintenant et jurent de le rester toujours. Marie-Ange a dit : « Plus jamais un autre homme, on est trop triste le lendemain matin et toi, je te pardonnerai tout, sauf une autre fille dans ton lit. »

C'est l'amour beau, pur, et la belle torture de la jalousie quand elle n'a aucune raison d'être. Bref, tout va bien. Marie-Ange supplie Jean-Luc de cesser ses activités illégales, lui envoie des billets de train pour qu'il vienne de Montpellier, légalement, au lieu de voler une voiture. Elle lui insuffle du courage, lui dit qu'il va retrouver un travail, et qu'ils vont prendre un joli appartement.

Tout s'écroule

Jean-Luc rêve de la vie que cette impétueuse jeune fille de dix-sept ans lui fait entrevoir. Mais il ne peut pas s'adapter du jour au lendemain... Et il se fait prendre en flagrant délit pendant le cambriolage d'une villa.

Nous sommes en février 1982. Tout s'écroule. Après des mois de bonheur et d'amour, les premiers dans la vie de Marie-Ange, la voilà à nouveau seule et triste, avec une grossesse de cinq mois et le père en prison. Marie-Ange tient le coup quelque temps, tente de se socialiser, se fait héberger dans un foyer pour filles-mères à Montpellier, correspond avec l'homme de sa vie.

Et puis la haine revient, inexorablement. Au foyer, après trois mois, Marie-Ange n'en peut plus. Elle ne cesse de parler de sa mère, elle qui n'en parlait jamais. Au moment d'être mère à son tour, sans père à son tour, le souvenir de « la sorcière » devient obsédant. Elle dit à plusieurs reprises qu'elle et son enfant ne pourront pas vivre tant que sa mère ne sera pas morte, qu'elle va la tuer pour se libérer elle-même. Là-bas, on ne sait quel sens donner à ses paroles. On voit qu'elle est nerveuse, angoissée, qu'elle ronge ses ongles et continue à faire « pipi au lit », comme quand elle était enfant. Mais pour le reste… Évidemment, elle est très agressive, mais les jeunes filles qui sont au foyer ne traversent pas des périodes faciles. Un jour, Marie-Ange craque : elle frappe une fille qui l'énerve et se fait mettre dehors, comme avant sa rencontre avec Jean-Luc, comme avant sa grossesse. C'est la vie d'avant qui reprend le dessus, qui commence à la rattraper.

Alors Marie-Ange reprend ses vieilles habitudes. Sauf que Marie-Ange aime son futur enfant, au point qu'elle arrête de fumer et de boire. Pas tout à fait, mais le changement est net. Et pour Marie-Ange, changer n'est pas chose facile.

Marie-Ange se retrouve toute seule dans Montpellier, sans nulle part où aller. Elle rencontre Robert. Tout de suite, Robert tombe fou amoureux de Marie-Ange. Il a vingt ans et c'est sa deuxième expérience sexuelle, mais c'est la première fois qu'il éprouve du plaisir. Et le plaisir, Robert en a bien besoin. Il a eu une enfance assez pénible, et c'est pour cela qu'il comprend Marie-Ange.

Robert n'a jamais connu son père. Son père a été interné à l'hôpital psychiatrique deux ans avant sa naissance et ce serait à l'occasion d'une sortie de week-end que Robert a été conçu. Information à donner au conditionnel parce que rien n'est plus douteux. En tout cas, chaque fois que Robert a posé des questions sur ses origines à sa mère, elle l'a vertement envoyé sur les roses sur le ton : « Qu'est-ce que ça peut bien te faire de savoir qui est ton père ? » Rideau !

Avec son beau-père, évidemment, les relations sont tendues, pour ne pas dire exécrables. De son enfance, Robert a sincèrement tout oublié. Au point que les experts-psychiatres seront sidérés par une telle amnésie. Mais peut-être que pour Robert, l'amnésie valait mieux que le souvenir.

Comme celle Marie-Ange, sa scolarité a été mouvementée. Il n'a pas obtenu non plus son certificat d'études primaires. Il est également passé par une sixième de transition. De transition vers quoi ? Vers — comme Marie-Ange — divers stages d'apprentissage dont aucun ne lui a rien appris : un an la mécanique, trois ans la plomberie et finalement, Robert débarque au service militaire comme dans un refuge. Et très vite, il déprime, comme Marie-Ange a déprimé. Et il s'ouvre les veines, comme Marie-Ange l'a fait. L'armée ne veut plus de lui, comme tous les endroits où Marie-Ange est passée.

Durant un an, il végète chez sa mère, à ne rien faire, comme Marie-Ange épisodiquement l'a fait chez sa grand-mère. Sa mère finit par lui trouver un emploi à la SNCF par l'intermédiaire du beau-père qui y travaille. Mais là encore, Robert est évincé. Trop mou, trop distrait. Pas assez vif, pas assez entreprenant. Trop tout. Pas assez tout. Robert va mal.

C'est alors qu'il rencontre la troublante Marie-Ange et en tombe fou amoureux. Elle se « met à la colle » avec lui. On ne peut pas dire qu'elle l'aime. C'est Jean-Luc qu'elle aime. Mais dans sa tête, de toute façon, son rêve est cassé, alors... Et puis elle a de la tendresse pour Robert. Lui est complètement ému par la grossesse de sa compagne. Il est fier de la tenir par le cou dans la rue, comme s'il était papa, un papa pas fou, qui assume. Marie-Ange est rassurée d'être aussi tendrement protégée. Ils vont jusqu'à dire à ceux qu'ils rencontrent que Robert est le papa, comme dans les vrais couples à la télé.

Robert se sent tellement responsable de cette famille de la dernière chance que lui qui « picolait » n'importe quoi, n'importe où, à n'importe quelle heure, arrête tout. Ou presque. Mais comme pour Marie-Ange, c'est déjà un miracle qu'il parvienne à se limiter.

C'est donc un jeune homme nouveau, fier et « gros », lui aussi, du bonheur de la future naissance, qui ramène Marie-Ange chez sa propre mère. Il explique qu'il veut l'épouser, travailler, et faire d'autres enfants avec elle. Réponse de la mère : « Cette fille est une sale gitane. Elle n'est pas pour toi. Et d'abord, elle attend un enfant qui n'est même pas de toi. » Ça calme l'enthousiasme ! Sur le moment, ça calme tellement Robert qu'il s'effondre complètement. Lui qui se croyait sur la bonne voie s'en taille les veines de dépit. Et choisit Marie-Ange en quittant le domicile maternel. Marie-Ange est attendrie par toutes ces preuves d'amour. Elle ne l'aime toujours pas mais c'est pas le mauvais bougre, Robert. Et lui, il est prêt à la suivre au bout du monde, même dans ses projets les plus fous.

Dans ses moments d'énervement, Marie-Ange lui dit bien qu'elle veut tuer sa mère. Mais Robert n'y croit pas. Il sait ce que sont les tourments infiniment torturants du mystère des origines quand, depuis les origines, on a reçu plus de paires de claques et de silence que d'amour et d'explications. Finalement, quand Marie-Ange est calme, elle lui dit : « Tu sais, il faut que je retrouve ma mère pour savoir la vérité. »

Parce qu'elle sait bien que sa famille paternelle a noirci le tableau et que sa mère doit être quelqu'un de bien. Rien que parce que c'est sa mère. Elle sait que sa mère est à Avignon parce qu'elle a quitté son concubin marseillais. Elle n'a pas plus de renseignements mais Avignon, ce n'est pas si grand. Surtout que statistiquement, sa mère a toutes les chances d'être au café. Au bout d'un moment, elles vont bien finir par se retrouver. Elle écrit donc à sa grand-mère : « Le 11 juin, c'est mon anniversaire. Je voudrais le passer en famille et accoucher près de toi. » Robert suit. Évidemment.

La grand-mère est plutôt furieuse de voir débarquer ce couple-là. D'abord parce que ça coûte cher, et qu'évidemment, tout ce monde-là n'a pas un sou. Ni allocation chômage, ni même allocation grossesse pour Marie-Ange qui ne s'est pas occupée des papiers à temps. Après son fils, c'est la petite-fille qui va se faire entretenir ! Ensuite, parce que Marie-Ange n'a pas laissé un très bon souvenir à sa grand-mère. Elle vient la voir régulièrement mais à chaque fois, il y a un problème ou une dispute. Quant à ce Robert, elle ne le connaît pas ! Elle a une très relative confiance en lui : « Il ne se droguerait pas, par hasard ? » En plus, il n'est même pas le père de l'enfant.

Et l'enfant ! Quand la grand-mère de Marie-Ange pense à l'enfant, elle en attrape des sueurs froides. Exactement dix-huit ans plus tôt, Marie-Ange naissait, et un an plus tard, sa grand-mère en héritait. Pour avoir les soucis qu'on sait par la suite. Il ne manquerait plus qu'elle hérite de l'arrière-petit-fils…

La troisième fois

Marie-Ange arrive à Avignon peu de temps avant son anniversaire. Trois jours après, elle rencontre sa mère par hasard, comme prévu, au café. Par un semi hasard puisqu'elle passe ses journées, Robert au bras, à écumer tous les cafés de la ville.

Hélène T., la mère donc, n'est pas une maman ordinaire. Elle a trente-quatre ans seulement, pas encore l'âge de renoncer à la passion de sa vie : les hommes. Marie-Ange la retrouve donc en pleine séance de baisers échevelés avec un homme, qui, ô surprise, a dix-sept ans ! Un homme plus jeune que Marie-Ange, un homme qu'elle pouponne comme un gamin et idolâtre comme un Dieu. Marie-Ange, au premier regard, est folle de rage. Quelques précisions l'achèvent psychologiquement. D'abord, sa mère clame haut et fort son désir de l'épouser. Ensuite, Marie-Ange apprend que ce prénommé Arnaud est un ami de son frère, frère qu'elle n'a jamais connu, et que sa mère, visiblement, revoit. Et enfin, au détour d'une conversation de bistrot, elle ne tarde pas à apprendre que sa mère a déjà été interpellée pour détournement de mineurs.

Le raccourci est rapide : et si sa mère, comme l'a tellement répété sa grand-mère, était une « putain » ? Et si, comme le disait sa grand-mère, elle était une « sorcière » ?

C'est la troisième fois de sa vie que Marie-Ange revoit sa mère. La première fois, à neuf ans, elle l'avait tambourinée de ses petits poings d'enfant. La seconde fois, à treize ans, elle l'a encore croisée dans la rue, par hasard. Hélène avait crié : « C'est ma fille », et

Marie-Ange, en rassemblant toute l'énergie haineuse de son adolescence, avait réussi à la flanquer par terre. Et maintenant, que va-t-elle faire ? La tuer. Marie-Ange est décidée.

Le dimanche, veille du meurtre, Marie-Ange croise son grand-père maternel. Elle est accompagnée de Robert bien entendu. Amoureux et muet. Comme d'habitude. Marie-Ange connaît mal ce grand-père mais n'hésite pas à lui dire, comme pour s'en convaincre : « Je cherche ma mère. Mais c'est pas pour l'embrasser, c'est pour la tuer. » Texto. Et elle extirpe un couteau de son blouson. Ce qui n'est pas ordinaire pour une jeune fille enceinte de neuf mois.

Le grand-père la raisonne deux minutes, la force à jeter le couteau dans une bouche d'égout et passe son chemin. Pas tout à fait pourtant puisqu'il prévient Arnaud, l'ami d'Hélène, que Marie-Ange est mal disposée à l'égard de sa mère et qu'il serait bon de veiller sur elle. Il n'en parle pas à Hélène qui elle, ne prêterait pas attention à ce genre de menaces. La vie l'a plutôt endurcie. Marie-Ange finit par débouler chez sa mère qui vit aux crochets de sa propre mère avec son dernier petit ami, le fameux Arnaud.

Contrairement à toute attente, l'après-midi se passe très bien. Arnaud, Hélène, Robert et Marie-Ange écoutent de la musique tranquillement. Mais Marie-Ange n'a pas pour autant retrouvé la paix de l'âme. La nuit même, elle annonce à Robert son intention de tuer sa mère. Robert, fatigué et plus amoureux que jamais à l'approche de l'heureux événement, dit : « D'accord ! Si tu veux vraiment ça, d'accord. Mais t'es enceinte, alors je vais t'aider. » Marie-Ange grommelle pour la forme et accepte. De toute façon, Robert la suivrait jusqu'au bout du monde, alors s'il y tient...

Le fruit haï

Le lendemain lundi, par un authentique hasard cette fois, Marie-Ange rencontre une vieille copine. C'est une fille qu'elle a connue trois ans plus tôt, dans des circonstances peu réjouissantes puisqu'elles étaient voisines de chambre à la clinique psychiatrique. Mauvais souvenir encore !

La copine est avec son frère, un dénommé Matthias que Marie-Ange a déjà rencontré. Marie-Ange présente Robert comme le père de l'enfant, son futur mari. Les rêves, ça ne s'en va pas comme ça ! Tous les quatre se donnent rendez-vous au bar « Le Victor Hugo » pour l'après-midi. Ça pourrait ressembler à une sympathique rencontre entre amis mais ça va vite prendre l'allure d'une horrible croisade meurtrière. Parce que Marie-Ange n'est toujours pas tranquille. Elle ne sera pas tranquille tant que sa mère sera en vie. Elle ne pourra pas enfanter avant que sa mère ne soit morte.

Sous la fenêtre de sa mère, à quatorze heures, Marie-Ange hurle : « Descend ! Viens prendre un café ! » Hélène descend seule. Arnaud a la flemme. Il fait chaud et c'est l'heure de la sieste. Tous les trois vont au bar. Parce que Robert est là, évidemment, fidèle au poste et contemplatif, comme toujours.

Quand Matthias et sa sœur arrivent, ils s'accoudent au bar en voyant que Marie-Ange est installée à une table avec Robert et cette jeune femme qu'ils ne connaissent pas. La discussion a l'air animée, puis très vite houleuse. Ils entendent des invectives violentes, sans comprendre, puisque la mère et la fille se sont mises à parler dans une autre langue, comme les étrangers quand ils se disputent — catalan ou gitan — on ne saura jamais.

Marie-Ange n'aime pas du tout ce que lui dit sa mère. En gros, Hélène dit à sa fille qu'elle est contente de la revoir mais que, franchement, elle n'a pas été désirée. « Et alors ? C'était pas une raison pour m'abandonner ! Pourquoi tu m'as abandonnée ? » Marie-Ange vide sa colère et ses larmes.

Hélène finit par dire que non seulement elle n'a pas été désirée, mais que surtout, Paul, son cousin, l'a violée. Marie-Ange devient livide. Sa mère en rajoute maladroitement, c'est le moins que l'on puisse dire : « Tu trouves ça normal que je t'aie eue avec mon cousin ? Et que j'aie eu seize ans à l'époque ? »

On ne saura jamais si Hélène dit vrai puisque ledit cousin, si c'est vrai, ne s'en vantera jamais. Mais le doute est semé dans l'esprit de Marie-Ange. Qu'elle soit la fille d'une sorcière et autres horreurs était déjà pénible, même si elle se disait parfois que ce n'était pas vrai. Être le fruit haï d'un viol entre cousins, autrement dit d'un inceste, c'est l'horreur. Son père, le seul être qui ait toujours veillé sur elle, même mal, même de loin, en qui elle avait confiance… Soit cette horreur-là est vraie et elle va en punir sa mère. Soit elle est fausse et sa mère est vraiment un être ignoble. Marie-Ange hurle : « Tu me mens ! Tu me mens ! » Le patron du bar finit par les mettre dehors.

Robert ne comprend rien. Cette histoire le dépasse. Comme souvent. Mais quand Marie-Ange, avec son ventre énorme, commence à frapper sa mère sur le trottoir, il réagit et tente de s'interposer. Il y a le bébé, ce petit ange qui va naître. Marie-Ange est furieuse et lui fait cette demande, la dernière, ô combien rationnelle : « T'occupe pas de ça ! Appelle mon père pour savoir la vérité. » Robert s'exécute. Amoureux. Le père n'est pas là. S'il avait été là, le cours de la vie de Marie-Ange en aurait peut-être été changé ; et celui de sa mère Hélène ne se serait peut-être pas interrompu si prématurément.

Marie-Ange, malgré son ventre proéminent, est habitée par une énergie démoniaque. Elle jette sa mère par terre. Sa mère hurle, se débat, se prend un coup de pied dans la mâchoire et en moins de cinq minutes, se retrouve en sang. Les pompiers arrivent. Un agent qui passait par là vient aux nouvelles. Marie-Ange dit : « C'est ma mère ; ça fait dix-huit ans que je ne l'ai pas vue et elle vient m'embêter dans la vie. » Robert, en brave garçon sincèrement ému, ajoute : « Monsieur l'agent, vous pouvez pas savoir le mal que cette mère-là a fait à sa fille. »

Parce que dans la tête de Robert, tout commence à s'éclairer, mais c'est une façon de parler, vu sa confusion mentale : si Hélène n'était pas la mère de Marie-Ange, Marie-Ange irait bien ; alors peut-être que Marie-Ange l'aimerait vraiment et peut-être aussi qu'il serait le père de l'enfant. Ce raisonnement altéré n'est pas sans logique. En tout cas, l'amour de Robert pour Marie-Ange se transforme en haine convaincue envers Hélène.

Les pompiers emmènent Hélène à l'hôpital, pendant que Marie-Ange lui lance cette dernière phrase toute en nuances : « Je te crèverai de mes mains. » L'agent rentre au commissariat et dépose une main courante, c'est-à-dire qu'il écrit une note sibylline pour résumer ce qui, *a priori*, est un incident banal.

Matthias, le frère de la copine de Marie-Ange, est resté accoudé au bar. Lui non plus n'a pas eu une enfance charmante. Passons. Il n'a aucune raison d'en vouloir à Hélène, mais comme il n'a rien à faire, il se joint au couple. Ils vont rendre une petite visite à Hélène à l'hôpital. Sur le chemin, Matthias entend des phrases dont il ne mesure pas toute la portée. Marie-Ange dit à Robert : « Elle n'en a plus pour longtemps à vivre. » Robert acquiesce : « C'est normal ! Elle a fait trop de mal. » Robert, comme toujours, suit donc Marie-Ange dans ses décisions, et Matthias, dernier arrivé, approuve Robert. Le trio qui se dirige vers l'hôpital, c'est un cerveau meurtrier et deux paires de bras serviles.

Des fleurs pour oublier

Après la crise d'hystérie d'Hélène, terrorisée, à l'hôpital, tout rentre dans l'ordre. On la soigne ; on la rassure : encore une bagarre entre mère et fille. Le trio arrive et tout le monde se « rabiboche ». Hélène est autorisée à sortir, puisqu'elle n'a rien de grave. Dans le jardin de l'hôpital, Hélène s'excuse. Elle a été un peu brutale et ça lui fait plaisir de revoir Marie-Ange, somme toute. Hélène pardonne les coups : « Allons, j'en ai vu d'autres ! » Et dans les petits massifs bien taillés du jardin, elle cueille des fleurs et les offre à sa fille. Il est vingt heures.

Une heure à traîner dans les rues de la ville. Marie-Ange plaisante, séduit sa mère, l'entraîne vers les faubourgs. Elle lui raconte une histoire inventée de toutes pièces : qu'elle loue un appartement, qu'elle l'hébergera si elle accepte de se débarrasser de son jeune amant, qu'elle va lui montrer cet appartement.

En réalité, Marie-Ange a préparé son crime depuis longtemps. Elle a repéré, non loin de la cité de ses grands-parents paternels, un endroit bien tranquille où elle va pouvoir se défouler. Le meurtre est-il réellement programmé ? On ne le saura pas. En tout cas, Hélène aggrave son cas en répétant qu'elle ne quittera jamais Arnaud et que, oui, elle va l'épouser. Marie-Ange s'énerve. Hélène commence à ne plus se sentir en sécurité. Toute cette fausse bonne humeur ne lui disait rien qui vaille, finalement. Elle se met à courir mais les deux garçons la rattrapent avec autorité. Un couple de voisins s'affole. Au beau milieu de la nuit, Hélène hurle qu'elle a peur, qu'on veut la tuer. Mais Robert fournit des explications, les mêmes qu'à l'agent de police à peu de choses près : « C'est ma belle-mère. Avec sa fille, c'est tout le temps comme ça. Ne vous inquiétez pas, j'ai l'habitude. » Les voisins passent leur chemin.

Ensuite, les versions varient. Robert passerait chez la grand-mère annoncer que la mère de Marie-Ange est dans la rue et la grand-mère dirait : « Pourquoi vous m'avez ramenée cette traînée ? » La grand-mère dit que c'est faux. En tous cas, Marie-Ange, Robert et Matthias finissent par entraîner Hélène derrière un bosquet. Marie-Ange plaque sa main sur la bouche de sa mère pour étouffer ses cris. Elle l'aurait fait parce que sa grand-mère, alertée par Robert, serait sortie aux nouvelles. Mystère aussi sur ce point.

La suite est terrifiante. Le trio étrangle Hélène avec la ceinture de sa propre robe, deux d'entre eux tirant chacun sur un bout, et tout au long de l'instruction, le point crucial sera de savoir qui a tenu les jambes d'Hélène, qui les bras, et surtout qui il y avait à chaque bout de la ceinture, puisqu'ils étaient deux.

Hélène est morte mais Marie-Ange, à quelques heures de son accouchement, n'est toujours pas tranquille. Elle appelle sa grand-mère : « Je crois que pour une fois, vous pouvez être fiers de moi. J'ai fait ce que vous vouliez. » La grand-mère nie cet appel téléphonique tardif. Robert confirme. Mystère encore.

Mais ce qui est certain est que cette pensée habite complètement Marie-Ange durant le crime, au cours duquel elle pleure par amour, tout en s'acharnant par haine. Tous les trois vont ensuite à la pizzeria, pas troublés le moins du monde, parce que dans la dynamique de l'ignoble, on ne s'arrête pas. Là, Marie-Ange décide d'incendier le corps, « parce qu'il faut brûler le corps des sorcières pour qu'elles ne reviennent pas ».

Robert, ne sachant plus quoi dire pour disculper celle qu'il aime, dira au procès qu'il a eu la même idée d'un tel acharnement. Bref. On s'organise. En sortant du restaurant, on prend un taxi, on passe à la station service acheter un bidon d'essence et on retourne sur les lieux du crime. C'est Matthias qui officie, parce que Robert boude et que Marie-Ange ne peut pas courir assez vite pour se protéger des flammes. La « sorcière » brûle.

Et le trio rentre chez les grands-parents qui les mettent dehors, selon les aînés parce qu'ils font du bruit, selon les jeunes parce qu'ils avouent leur crime et que les grands-parents ne veulent pas avoir d'ennuis. Finalement, après avoir erré dans le centre ville, tous trois vont dormir à l'hôtel. Il est quatre heures du matin.

Marie-Ange est couchée depuis une heure et demie quand elle ressent les premières contractions.

Maintenant que sa mère est morte, elle peut accoucher. Elle l'avait prédit.

« Dans les bras de ma mère »

La suite est au-delà du pathétique, une succession de symboles. Les trois « monstres » se font arrêter, à l'hôpital même où ils avaient été chercher la mère la veille.

Dans la presse, on titre : « Marie-Ange de la mort ». Elle avait dix-huit ans, Robert vingt ans, et Matthias n'était même pas majeur. Considérée comme l'instigatrice du meurtre, elle seule saura effectivement expliquer son geste.

Robert dira « avoir senti, derrière le fameux buisson, que Marie-Ange donnait le signal ». Il a vu son crime comme un geste d'amour.

Matthias n'aura rien à dire de spécial. Il ne sait pas.

Entre deux crises de larmes, Marie-Ange dira beaucoup de choses édifiantes, notamment : « Quand je rentrais chez ma grand-mère, j'entendais des phrases qui me faisaient mal et que je n'aurais jamais voulu entendre. »

En prison, Marie-Ange a demandé à ce qu'on interdise les parloirs à toute sa famille, dont sa grand-mère. Toute seule, elle pensait à son fils, écrivant presque quotidiennement au juge d'instruction pour obtenir le droit de le garder avec elle. On le lui a amené souvent et les spécialistes ont dit que « la relation à l'enfant était exceptionnellement gaie, positive, réussie, compte tenu du contexte ». Des mots comme ça. Marie-

Ange s'en fichait. Elle savait, elle, qu'elle était capable d'être une bonne mère pour son fils...

Mais ils ont aussi dit qu'avec l'impulsivité de Marie-Ange, cette fougue qui prenait parfois les couleurs de la mort, il n'était pas très prudent de lui confier l'enfant. Marie-Ange ne s'en fichait pas. Elle a pleuré. Alors cet enfant que Marie-Ange adorait a été confié. Marie-Ange a supplié qu'il ne soit pas confié à la grand-mère. Cette idée lui faisait très très peur. Robert s'en est mêlé, lui qui était aussi derrière les barreaux. Il a expliqué : « Le petit, je le prendrai avec moi. Marie-Ange et le petit, c'est tout pour moi. Si je viens à les perdre, je ne sais pas ce que je ferai. »

Marie-Ange a tué sa mère parce qu'elle l'avait abandonné, la veille du jour où elle offrait elle-même à son fils une maman derrière les barreaux. Effrayant paradoxe.

Quant au papa, Jean-Luc, comme il avait disparu de la circulation, il n'a pas reconnu l'enfant, évidemment. Cet enfant-là n'aura donc pas plus de père que de mère. Pire que Marie-Ange. Quant à sa grand-mère Hélène, elle a été brûlée. Comme une sorcière. Marie-Ange a appelé son fils Alain, du nom de celui avec qui elle avait trompé Jean-Luc. Cet Alain-là lui avait fait vérifier son rêve. En prison, elle s'est fait tatouer un A, à côté de J.L. pour Jean-Luc, et du point qui symbolisait sa solitude. Comme ça, sur son bras, toute une famille était réunie.

Les 20 et 21 février 1986, le procès a eu lieu. Matthias avait déjà été condamné à quatre ans d'emprisonnement par la cour d'assises des mineurs. Robert a écopé de quinze ans de réclusion criminelle, le prix à payer pour son amour transi.

Me Lhote, l'avocat de Marie-Ange, a dit cette phrase très juste : « Le dossier Marie-Ange s'est ouvert à sa naissance. » Tout au long du procès, Marie-Ange chiffonnait dans sa main une photo de sa mère. Les jurés étaient émus, au point qu'après, une femme juré lui a écrit en prison. C'était dur de la condamner à seize ans de réclusion criminelle. Mais ce qu'elle avait fait était vraiment trop ignoble.

Dans une lettre, depuis sa prison, Marie-Ange a écrit : « La seule chose que j'aimerais vraiment, c'est pouvoir m'endormir dans les bras de ma mère, et que tout ce qui s'est passé ne soit qu'un mauvais cauchemar. »

Mais il était trop tard. Marie-Ange devait ressortir à trente-quatre ans, l'âge de sa mère quand elle est morte. C'est long d'attendre. À la fin de l'année 1986, deux jours avant Noël, le pourvoi en cassation a été rejeté. Marie-Ange a écrit qu'elle aimerait qu'on lui réserve une place à côté de sa mère au cimetière, pour quand elle sortirait.

Elle n'a pas pu attendre. Elle était trop impulsive pour cela.

Marie-Ange s'est pendue dans sa cellule. Elle avait vingt-deux ans.

● ● ● ● ●

Il y a effectivement dans l'histoire de Marie-Ange de ces coïncidences tragiques qui évoquent les pires histoires de sorcellerie.

Bien avant de jouer avec les couteaux, Marie-Ange baignait dans une violence inouïe. Dès la naissance, elle est détruite par le silence total des sentiments d'un côté et le hurlement strident de la parole mensongère de l'autre. Entre le traumatisme de l'abandon, l'image qu'on lui renvoie de sa mère, la vie déconstruite de sa famille, on a l'impression qu'elle n'avait aucune chance de s'en sortir. Elle ne pouvait disposer d'aucune arme pour se battre. Tout la flanquait par terre, même un regard de travers. Tout la désespérait, comme si elle n'avait aucune ressource, aucune « réserve d'amour » pour franchir les écueils de la vie.

Toutes ses blessures, elle en rendait sa mère coupable puisqu'on lui désignait l'ennemie. Marie-Ange ne se sentait pas le droit de vivre, d'exister, puisqu'elle était la chair de la chair d'une sorcière, autant dire un fantôme.

Pour devenir quelqu'un, au moment où l'instinct maternel lui ordonne de prendre soin de son enfant, elle a cru trouver le remède : tuer cette mère, la responsable, l'origine dans tous les sens du terme. Elle a trouvé l'énergie, constante pour la première fois dans un projet, enfin conséquente, enfin volontaire jusqu'au bout. Elle a trouvé une arme pour se battre, la ceinture de sa mère.

Mais encore une fois, elle s'est trompée. Sa mère n'était pas la bonne cible. C'est en elle-même que vivaient les démons qu'elle aurait dû tuer. Mais ça, il n'y avait personne pour le lui dire.

Marie-Ange a tué si jeune qu'on ne peut s'empêcher de croire que son geste ne tenait à rien, qu'une main tendue aurait pu le lui faire éviter, même avec un aussi lourd passé.

On se prend à imaginer un fiancé qui ne part pas en prison au tournant de sa vie, une mère qui sourit à une table de bistrot, un père qui décroche son téléphone, un gendarme qui lui donne une claque, un compagnon de route qui a du bon sens, et on se dit que Marie-Ange aurait survécu à son hérédité. Un clin d'œil de tendresse, une once de fermeté bienveillante et Marie-Ange était sauvée.

La douleur, souvent, ferme les êtres aux sentiments, aux sensations, à la chaleur des autres. Marie-Ange gardait encore une porte ouverte, ouverte à tous vents, même les vents mauvais. C'est ce qui est fabuleux, et c'est aussi ce qui donne l'impression d'un immense gâchis.

À quoi tient la vie... Marie-Ange aurait pu ne pas tuer. Marie-Ange aurait pu devenir une mère attentionnée, si le destin, une minute, et pour une fois, avait été clément. Mais il s'acharnait. Elle a préféré n'en avoir plus aucun.

Autre drame de l'abandon et du mystère entretenu autour de la figure maternelle : celle de Bernard. Comme Marie-Ange, Bernard grandit comme il peut, sans mère, sans structure, sans amour surtout, sans but et sans espoir. Mais Bernard est un homme de quarante-cinq ans, et il n'a jamais fourmillé d'idées ni de sentiments.

Quand il retrouve sa mère, c'est après quarante-cinq années de vie délictueuse ou de prison, mais il ne va pas la tuer. Quand une fille tue sa mère, un homme en tombe éperdument amoureux. Quand les repères de la filiation n'ont jamais existé chez le fils, et que les amours de la mère transcendent les générations, la confusion des sentiments est inéluctable.

Bernard va se laisser submerger par des sensations troubles et diffuses, et très vite, par l'irrésistible désir d'éliminer un faux rival, son ennemi fantasmatique.

• • • • •

Bernard,
le justicier

L e 6 janvier 1988, les gendarmes se font accompagner, comme le veut la loi, du maire et de l'un de ses administrés, pour pénétrer dans le domicile de Patrick A., un homme sans histoire disparu depuis six jours. C'est d'abord sa mère qui s'est inquiétée. Le réveillon avait été tellement gai, avec Patrick, ce fils attentif et Lydie, sa petite fille inespérée.

Lydie avait été confiée toute petite à la DDASS, et vivait heureuse depuis chez ses grands-parents nourriciers, les G. Mais à douze ans, elle retrouve son père naturel et sa grand-mère. Depuis, elle passe vacances et week-end chez son « vrai » papa, Patrick, et rend régulièrement visite à sa « nouvelle » Mamie.

Pour le réveillon du 31, il y a eu une belle soirée chez Mamie justement : galantine, rôti de porc et bon vin. Pas trop, parce qu'il y a vingt kilomètres de Caen au village où vit Patrick. Patrick ne plaisante pas avec l'alcool, surtout quand Lydie est sous sa responsabilité pour quelques jours. Ils ont raccompagné Lucie, la patronne du bistrot du village qui s'était jointe au trio au dernier moment. Comme elle est veuve, on n'allait pas la laisser toute seule ! Oui, vraiment, tous les quatre se sont bien amusé ce soir-là. Mamie a ri tout ce qu'elle savait, tellement Lydie était marrante. Pourtant, la mère de Patrick n'est pas franchement d'un naturel enjoué, et souvent, elle se bagarre avec Lydie pour des broutilles, un peu dépassée par l'insouciance adolescente, les fous rires incontrôlables et cette façon de ne pas tenir en place. Enfin ! Ça lui passera !

Sur le chemin du retour, à cinq heures du matin, Patrick est fier de sa fille. Ils vont vite aller se coucher parce que Mamie a dit : « Passez donc demain midi, et prenez Lucie au passage. On finira le rôti de porc ! » Le lendemain, Mamie ne les a pas vus. Lucie non plus, mais elle a cru à un changement de programme, alors elle ne s'est pas inquiétée. Les G. ont également trouvé étrange de ne pas recevoir un coup de téléphone de Lydie pour la nouvelle année. Elle est si affectueuse… Mais c'est sans doute qu'elle s'amuse. Le temps que tout ce monde-là se téléphone et réalise que Patrick et sa fille ne sont ni chez l'un ni chez l'autre, et nous voilà le 3 janvier. La gendarmerie est prévenue.

Par chance, la maison de Patrick A. « fait cour commune » avec une autre maison. Les deux bâtiments se font face et entre voisins si proches, on sait tout de la vie de l'autre. La gendarmerie appelle donc Simone L., la voisine. Simone n'a pas vu Patrick, ni Lydie, et ils ne l'ont pas tenu au courant de leurs projets. Elle jette un œil par la fenêtre : « Oui, c'est étrange. Je ne vois pas sa voiture. » Simone raccroche et demande à Bernard, son mari : « T'as pas vu Patrick et Lydie ? Il n'y a pas leur voiture. » Bernard hausse les épaules. Il ne voit pas très bien pourquoi il serait plus au courant que sa femme.

Pendant encore trois jours, on imagine Patrick et Lydie en escapade impromptue sur la côte normande. C'est beau, l'hiver, la côte normande. Mais le 6 janvier, la mère de Patrick n'imagine plus rien. Rien qui vaille. Les époux G. sont fous d'inquiétude. En fin d'après-midi, la gendarmerie pénètre dans la cour de l'une de ces deux maisons qui se font face, au milieu d'un village paisible, pile en face de la mairie.

« Barbarie provinciale »

Les deux gendarmes, le maire et le quatrième homme se présentent au domicile de Patrick. Personne, comme prévu. Ils entrent par effraction, traversent la cuisine, la petite salle à manger. Ils poussent la porte d'une petite chambre, juste en bas de l'escalier. Personne. Ils montent. En haut de l'escalier, un petit palier dessert deux chambres, celle de Patrick, et celle de Lydie, sa fille. Dans la chambre de Patrick, personne.

Dans la chambre de Lydie, un lit, une odeur pestilentielle, deux corps allongés côte à côte et recouverts des draps et de vêtements jetés dessus en vrac. Dessous, Patrick et Lydie, un père et sa fille, gisent nus, à moitié enlacés, dans une position qui laisse apparemment peu de doute sur l'activité à laquelle ils se livraient au moment du crime. Car c'est un crime. Il y a du sang, des impacts de balle dans le mur, des douilles par terre. Et deux morts.

Le lendemain, la presse en fait ses choux gras. L'affaire monte jusqu'à Paris, fait les gros titres de la presse nationale : « Encore une barbarie provinciale ». Ils vivent vraiment dans un autre monde ces gens-là !

À l'échelle locale, c'est la surprise générale. Dans une campagne rieuse et pluvieuse, où le lait coule à flots, où les pâturages sont verts d'une belle herbe grasse, où la vie est rythmée par la cueillette des pommes et la fabrication du calvados, un inceste insoupçonné qui se termine dans le sang, ça n'arrive pas tous les jours. Quand on apprend que Lydie a été confiée à l'âge d'un an à la DDASS, qu'elle est orpheline de mère et qu'elle a retrouvé son père à douze ans, ce père qui l'a violée et auprès de qui elle a trouvé la mort, on se dit qu'il y a vraiment des destins tragiques, et on lit durant quinze jours la rubrique faits divers de la presse locale qui ne se remet pas de cette sale histoire.

Au village, on se dit que décidément, on ne peut se fier à personne. Lydie était si joyeuse, si enjouée, si gamine. Patrick était un bon gars, pas le genre à faire des embrouilles. À personne. Et sa fille, il s'en occupait bien. Il en avait été privé tellement longtemps. Il ne l'avait pas cherchée. À quoi bon après tant d'années ! Il ne savait même pas où elle habitait. Quand il a appris qu'elle vivait dans le département voisin et avait envie de le voir, il était sacrément content. Il en a parlé à tout le village. Une vraie fête ! Il était remarié depuis quelques mois à Madame L.

Madame L. et Patrick s'entendaient bien, malgré leurs trente ans de différence. Et Lydie plaisantait toujours avec sa belle-mère, une sorte de deuxième mère pour elle, et aussi une deuxième grand-mère, vu son âge. Le soir, elles feuilletaient les catalogues par correspondance et les magazines féminins en riant comme de vieilles complices. C'était le bon temps !

Madame L. est morte subitement, un genre d'attaque, comme on dit là-bas. Patrick a préféré retourner vivre chez sa mère à Caen. Il a gardé la maison du village pour y emmener Lydie quand elle vient le voir. Ils sont plus tranquilles qu'avec Mamie sur le dos. Ils vont se balader quand ils veulent. Ils vont prendre le chocolat au café « Chez Lucie ». Ils plaisantent avec les clients, des amis à force de les voir.

Lydie est calme et joueuse. Elle chahute souvent avec son père, lui fait des plaisanteries, lui tire l'oreille. Cette fille de dix-sept ans est comme un jeune chien fou, libre et heureux, pas une de ces ados qui sillonnent les boîtes de nuit en jupe ras les fesses. D'ailleurs, elle préfère le jeu de cartes aux garçons. C'est plus rigolo, et les garçons, ce sera pour plus tard. De temps en temps, son père lui glisse une pièce dans la main pour qu'elle aille s'acheter des bonbons. Quand Patrick discute, Lydie mâchouille des dizaines de fraises Tagada et de Carambars qui collent aux dents, en rêvassant à plus tard. Elle aimerait bien s'occuper des enfants, donner une belle enfance à ceux qui sont mal partis dans la vie, sans parents, comme elle.

À l'école, ça ne marchait pas fort. Alors les G. l'ont inscrite dans une école privée professionnelle et là, elle devrait se débrouiller pour obtenir un diplôme. Sur le plan pratique, elle s'en tire très bien. Son dernier stage avec des enfants en difficulté a été un vrai succès. Tous l'ont adoptée en trois jours. Lydie est nature. Patrick, bon ouvrier chez Citroën depuis onze ans, est fier de voir sa fille prendre le droit chemin dans la vie, comme lui.

Quand les villageois se souviennent de tous ces bons moments, ils sont écœurés. « Il cachait bien son jeu, le Patrick ! On n'aurait jamais pensé une chose pareille ! » D'ailleurs, ils n'y croient pas. Ils sont tellement abasourdis qu'ils en oublieraient presque le double meurtre. Pas la gendarmerie.

Avec leur petite camionnette bleue, les gendarmes commencent leurs interrogatoires.

Depuis le carreau de la fenêtre de la cuisine, les habitants surveillent leurs allées et venues en continuant à s'exclamer sur l'ignominie du crime. Ils ne se doutent pas que dans deux jours, tout cela va finir en chasse à l'homme en hélicoptère. On entend rarement vrombir des pâles d'hélicoptère dans cette Normandie-là. L'inceste, le double meurtre à la carabine et l'hélicoptère : au village, on a la désagréable impression d'être les acteurs involontaires d'un mauvais film de science-fiction.

Le criminel, lui, se voit comme le héros noble et courageux d'un film de cape et d'épées. Trois jours durant, le justicier se cache dans la forêt, assez lucide pour savoir qu'on ne fait pas triompher la morale par le canon d'une carabine.

Les amours de Madame L.

Les gendarmes vont tout naturellement frapper chez Simone et Bernard. D'abord parce qu'ils sont les voisins immédiats de Patrick, de l'autre côté de la cour. Mais aussi parce qu'ils sont de la famille. Bernard est en effet le fils de Madame L. dont Patrick est veuf.

Bernard est parti de bonne heure le matin même et n'est pas encore rentré. Comme souvent, il est allé consulter les annonces à l'ANPE de Caen. On ne peut pas dire qu'il cherche du travail avec obstination.

Ça fait bien cinq ans qu'il n'a pas réellement travaillé mais Simone ne lui en veut pas. Elle a hérité de la petite exploitation de ses parents : deux maisons qui partagent la même cour au milieu du village, et quelques hectares de terrain constructible. Elle habite l'une des maisons et loue la seconde à Patrick. En cas de besoin, elle vend un lopin de terre. Avec la pension d'handicapée qu'elle touche à cause d'une malformation de naissance à la hanche, trois-quatre vaches, quelques moutons et quelques chèvres, elle s'en sort bien. Bernard n'a pas besoin de travailler. Il rend service, s'occupe bien des bêtes et en plus, un homme de dix ans de moins qui épouse une veuve de plus de cinquante ans, c'est déjà beau !

Aux enquêteurs, Simone n'a pas grand-chose à dire. Bernard n'est pas là et finalement, c'est lui qui parlerait le mieux de Patrick. Puisque Patrick a épousé sur le tard la mère de Bernard, Madame L., soixante-dix ans et des poussières. Autrement dit, Bernard L. est devenu le beau-fils de Patrick. Sauf que Patrick a quarante ans. Et Bernard L. quarante huit ans : huit ans de plus que son beau-père ! Entre Bernard et celui qu'il prend pour un gigolo des campagnes, l'entente n'a jamais été au beau fixe. Bernard a toujours trouvé suspect que le jeunot épouse sa mère de soixante-dix ans. Et si c'était pour l'héritage ? Les petites jalousies habituelles…

Les villageois, eux, ne savent pas grand-chose, mais à bien fouiller leur mémoire…

On se souvient de l'arrivée de Bernard L. au village en 1983. Il sortait tout juste de prison. Et ce gars-là, on ne l'avait jamais vu dans le coin. Avant la prison, il avait vécu dans l'est, il paraît. Mais Madame L. n'en avait jamais beaucoup parlé. Disons même franchement qu'on découvrait l'existence de ce fils, alors que la mère habitait le village depuis 1971. Elle vivait en concubinage depuis le début avec Damien V., un homme de son âge. Ils abritaient depuis quelques mois le fameux Patrick A., un garçon de quarante ans. On a bien cru qu'il était le fils de Damien, celui-là. D'ailleurs, Damien l'appelait « le gamin », comme si c'était le sien. Les âges correspondaient.

D'un seul coup, un nouveau fils débarque. Même âge que le premier. Au village, on ne comprend pas grand-chose à la vie de cette maison où vivent une femme de soixante-dix ans, un homme de soixante-deux ans, un homme de trente-cinq ans et le fils de la femme qui débarque à quarante-trois ans.

Jusqu'à ce que Patrick crée l'événement, un beau midi, à l'heure de l'apéro au café « Chez Lucie ». Après six mois de cohabitation à quatre, Patrick, un calva dans l'estomac, ce qui lui arrive rarement, lance à la cantonade : « Je me la fais, la Madame L. ! Ça a jamais été ma mère ! » On s'étouffe dans le verre de calva et on le vide rapidement. On est un peu gêné d'apprendre la vie intime de Madame L., un midi au comptoir. Et puis, c'est pas très moral quand même.

Passée la gêne, c'est à dire le temps de se soustraire à la vue de Patrick, chacun rentre chez soi annoncer la nouvelle : « Hé ! Dis donc ! Elle a la santé Madame L. Tu sais pas que le Patrick c'est son homme autant que Damien ? » On s'esclaffe, on rigole. À soixante-dix ans ! Deux amants dont un petit jeune ! La rumeur se répand comme une traînée de poudre. On s'étonne. On s'offusque pour la forme. Et puis, allez ! On passe l'éponge sur l'adultère et l'immoralité de ce trio. Après tout, tant qu'ils font pas le mal, ça les regarde !

Mais la situation est loin de plaire à Damien. Que sa concubine septuagénaire s'offre une dernière petite folie en se faisant câliner par un jeunot, passe encore. Mais que tout le village soit au courant et qu'il passe pour un cocu consentant, ça ne passe plus du tout. D'ailleurs, au départ, Madame L. avait dit que Patrick ne resterait pas. Juste quelques jours. Des jours qui se sont transformés en semaines, des semaines en mois. Au départ, il partageait la table familiale, puis ça a été le lit. Et maintenant, Patrick va raconter cela à tout le village ! Au coup de canif dans le contrat, Damien répond coup de couteau dans les entrailles ! Normal ! Patrick A. atterrit à l'hôpital. Version officielle : il s'est « auto-planté » un couteau en dépeçant un lapin. Il n'est pas très habile pour un homme de la campagne ! Au village, on a déjà dépecé un lapin. On ne croit pas une seconde à ce gros mensonge. Mais on ne dit rien. En Normandie, on sait que c'est parfois dangereux de s'occuper des affaires du voisin.

Après huit mois de cohabitation, de menaces et d'incidents divers, Damien V. capitule et déguerpit en

Bretagne, laissant le lit de Madame L. au vigoureux Patrick.

Bernard, lui aussi, en a eu marre, peu de temps avant le départ de Damien. Il s'est échappé du vaudeville rural en épousant Simone. Au départ, il s'agissait de tailler la haie de cette brave voisine. Entre gens qui partagent la même cour, quoi de plus normal ? Simone est veuve et ses trois grands enfants ont quitté la maison, alors ça lui rend bien service. Bernard est célibataire et s'ennuie ferme. À force de faire le jardin, il lui compte fleurette. Des baisers s'échangent à travers les troènes. Simone a cinquante-trois ans, dix ans de plus que Bernard, et s'ils estiment tous les deux avoir passé l'âge du grand amour, ils ont l'un pour l'autre une estime mêlée de tendresse, un de ces sentiments rassurants comme en crée l'habitude. Bernard s'enhardit et Simone s'attendrit. Bernard finit par dormir chez Simone. Au bout de deux mois, Simone reprend ses esprits : il faut officialiser cette cohabitation clandestine pas bien catholique. Cette fois, c'est Bernard qui s'attendrit. Et le mariage se fait, en 1983.

Deux témoins, un bon repas et c'est parti pour une vie de couple tranquille. Pas si tranquille puisqu'entre Bernard, sa mère et Patrick, ça n'a pas l'air d'aller fort. La preuve : Madame L. n'est pas allée au mariage. Et c'est vrai que Bernard L. a beaucoup de peine. Il aime énormément sa mère... Et c'est bien pour cela qu'il voit Patrick d'un sale œil. Quand Patrick épouse sa mère, il est furieux puisqu'il le soupçonne d'en vouloir à l'héritage. Quand sa mère meurt, Bernard le déteste d'avoir hérité.

Après l'enterrement, les habitants se souviennent d'avoir entendu des éclats de voix chez Patrick. Et le lendemain, Patrick avait un gros hématome à la paupière quand il est venu prendre son café « Chez Lucie ». Une autre fois, Patrick arrive en rage « Chez Lucie » : Bernard a crevé les quatre pneus de sa voiture. Encore une autre fois, il a surpris Bernard avec le marteau et le burin en train d'attaquer le réservoir d'essence. Entre les deux, les sales coups se multiplient. Patrick en a tellement assez qu'il décide d'aller vivre chez sa mère à Caen. Au moins, là-bas, il aura la paix. Il n'entendra plus : « Je vais te planter avant que tu me plantes », comme lui dit aimablement Bernard. Tout le village a entendu. Parce que Bernard L. en est sûr : Patrick A. veut sa peau. Et Patrick lui collerait bien son poing dans la figure.

Ça, c'est ce qu'on sait au village. Informés de cette charmante ambiance familiale, les gendarmes ont d'énormes soupçons. Le 7 janvier, Bernard L. n'est pas reparu chez lui. Simone est d'autant plus étonnée que Bernard n'a jamais découché. Pour aller où ? Il n'a qu'elle au monde. Il lui dit souvent d'ailleurs : « Tu sais, si je me sens bien, c'est grâce à toi. » Mais elle ne voit aucun rapport avec le crime. Bernard est plutôt doux. Il lui arrive de piquer des colères quand « c'est pas bon ». Mais Simone ne lui en veut pas. Elle se sait mauvaise cuisinière, et le jour où Bernard lui a envoyé une gifle parce que c'était immangeable, elle ne lui en a même pas voulu. Arriver à table l'estomac dans les talons parce qu'on a soigné les bêtes toute la matinée sous la pluie et trouver un morceau de viande sec comme un coup de trique, ça énerve. Hormis ce mauvais souvenir, Simone ne peut que se féliciter d'avoir épousé Bernard, un brave type.

La gendarmerie active ses recherches pour retrouver le brave type. Le lendemain de la découverte des corps, le 7 janvier, on trouve enfin une piste : la voiture de Patrick. Incendiée. Dans un bois. En fait de piste, le mystère s'épaissit. Cette voiture brûlée ne ramène pas Bernard. Toute la journée du 8, Simone a beau guetter l'arrivée de Bernard au volant de sa voiture, rien ! Ni Bernard, ni voiture à l'horizon bouché de la route du village. Il faut dire qu'avec ce brouillard à couper au couteau, une chatte n'y retrouverait pas ses petits. Comme en plus il gèle à crevasser le bitume de campagne et qu'il a plu là-dessus, la route est un vrai miroir de verglas. Simone se fait du mouron. Il ne manquerait plus qu'il soit arrivé quelque chose à Bernard en rentrant de l'ANPE. Et c'est elle qui lui a acheté la voiture ! Elle ne se le pardonnerait jamais... Quand en plus elle pense qu'elle a passé des jours à côté de deux corps en putréfaction, surtout celui de la pauvre petite, elle passe par des phases de grande angoisse. Mais elle ne fait pas le rapprochement. Bernard est un brave type.

« Je suis un justicier. »

Le 9 janvier, au milieu des bois, on retrouve la voiture de Bernard. Incendiée. L'hélicoptère localise un homme à proximité. Il est blessé à la jambe et rêve de se faire attraper au lasso comme les cow-boys dans les westerns, après avoir lutté jusqu'au bout de ses forces. C'est le brave type, on l'aura deviné.

Devant le bureau de la gendarmerie, *alias* la potence dans la tête de Bernard, le héros n'offre aucune résistance. Il avait fui le 6 au matin en voyant la police rôder autour du lieu du crime. Mais sa croisade pour échapper aux forces de police étant terminée, il déclare : « Je suis un justicier. »

Il avoue tout avec même une certaine délectation. Il a attendu toute la nuit de la Saint Sylvestre le père et la fille. Il a attendu qu'ils se mettent au lit et commencent leur « bricole », selon ses propres termes, et il a crié à Patrick : « Patrick, t'es un beau dégueulasse. T'es encore en train de baiser ta fille. Les gens d'ici ne savent pas cela. » Et il a tiré sur les deux corps. Ensuite, il « a recouvert les corps par pudeur mais il fallait que la loi voie aussi ».

L'affaire pourrait être classée : un homme a voulu faire triompher la moralité et s'est rendu criminel pour punir un autre crime : l'inceste. Mais cet inceste-là était bien discret. Et ça faisait bien longtemps que Bernard L. haïssait Patrick A., au point de vouloir que les hommes et la loi réalisent que cet homme-là était une « belle ordure ».

La recherche de l'amour

Il en a accumulé Bernard, de la haine. Depuis tout petit. D'emblée, il y a des choses qu'il ne sait pas : qui est son frère ? Qui en est le père ? Qui est sa sœur ? Qui est le père de sa sœur ? Qui est son propre père ? Et ce n'est pas en demandant à sa mère qu'il en saurait davantage. Elle fait un de ces métiers où les géniteurs putatifs sont légion, où la grossesse est considérée comme un accident de travail, une « tuile » qui entraîne une incapacité temporaire. Bref, elle est prostituée. Il ne faut pas en parler à Bernard.

La grand-mère qui l'élève à partir de cinq ans dans la région de Nancy lui dit que Maman ne peut pas s'occuper de lui parce qu'elle a la tuberculose. Bernard enregistre cette version, et gare à celui qui lui dira le contraire. Chez sa grand-mère, il n'a pas forcément à manger tous les jours. Ça dépend. À l'école, il n'y va pas tous les jours. Ça dépend. À treize ans, sans même le certificat d'études primaires, Bernard devient vacher et là non plus, ce n'est pas le bonheur. À quinze ans, il vole à droite à gauche, une poule, un lapin, une cagette de pommes, pour s'occuper autant que pour manger.

Quand il se retrouve pris en main pour la première fois de sa vie par quelqu'un, c'est par le juge des enfants. La première vraie maison de Bernard, là où il mange et où il fait bien chaud, est un centre spécialisé. Trois ans de répit. Sortie. Un an dans les hauts fourneaux. Deux ans de guerre d'Algérie. Et à nouveau Bernard angoissé, sans maison. La discipline militaire et les journées saturées d'ordres à exécuter, il aimait bien.

Livré à lui-même à vingt-quatre ans, il s'acoquine avec une bande de gitans qui, en échange de vols, le nourrit et lui « offre une fille de temps en temps ». Peu romantique, mais l'amour ce n'est pas trop « son truc ». Quoique. La première fois, il s'en souvient très bien. Elle avait cinquante ans, en gros l'âge de sa mère, et en gros, elle faisait le même métier que Maman. C'est son type de femme. Un hasard ! Sans doute.

La suite n'est pas plus gaie. C'est l'histoire d'un homme qui n'a, pour ainsi dire, jamais connu la liberté. À vingt-six ans, il se fait arrêter en cambriolant une maison. Les psychiatres l'examinent et il « bénéficie » de l'article 64 du code pénal, privilège rare. En fait de privilège, il est placé d'office à l'hôpital psychiatrique. Bernard est furieux. Les larcins, il est d'accord, mais il refuse de passer pour fou. D'ailleurs, c'est un agneau angélique dont les infirmiers héritent. À croire qu'on s'est trompé de service en le mettant là. Ils n'ont aucun mal à garder ce genre de fous-là. Bernard est toujours d'humeur égale, gentil, serviable, équilibré, sympathique, bref, vraiment un brave type. Au point qu'on va le caser à la ferme de l'hôpital pour le récompenser. Bernard s'épanouit dans les travaux agricoles au milieu des bestiaux. Une activité qu'il connaît, puisqu'il était vacher. On remet le bon ouvrier en liberté en 1973.

Bernard se retrouve à nouveau sans maison et c'est le drame. Il se met à travailler chez des agriculteurs qui le nourrissent et l'hébergent. C'est tout ? Bernard trouve qu'on ne lui témoigne pas assez d'attention, d'affection, de respect, de tout. Forcément, ce genre de choses n'est pas compris dans la vie professionnelle. Bernard est enragé dans sa recherche d'amour. Il a trente ans de retard de tendresse et il compte bien se venger. Cette famille d'agriculteurs qui vit dans un climat paisible, il se met à lui en vouloir, à la haïr, à vouloir en tuer tous les membres. Par la force, il espère obtenir des privilèges : plus de considération, mieux à manger, plus et mieux de tout. Il les séquestre. Tous. Enfants, parents, dix heures de suite. Il les menace de mort, et encore comme un cow-boy, finit par être maîtrisé par la police. Bernard adore le rôle du forcené.

Dans forcené, il y a « fort ». Quand Bernard lit les manchettes des journaux et voit qu'il est un forcené, ça lui flatte l'*ego*. D'ailleurs, les experts-psychiatres ne l'ont pas trouvé fou cette fois. On l'a considéré comme accessible à une sanction pénale. Bernard trouve quand même qu'être condamné à douze ans pour une petite séquestration avec menaces de mort, « entre nous, c'est cher ». Le bénéfice de l'opération, si l'on peut dire compte tenu de la suite, c'est qu'il retrouve sa mère.

Madame L. est en effet « à la retraite » depuis un bout de temps. Avec son ami Damien, au fin fond de la Normandie, elle regarde la télé, et soudain : « Tiens ! Mais c'est mon fils ! » Damien sous le bras, elle décide d'aller le voir de temps en temps en prison. C'est une destination de week-end comme une autre. Bernard est content. Sa maman est de retour et il a une maison, un « chez lui », la prison. À sa « maison », Bernard est toujours angélique. Madame L. promet de subvenir aux besoins de son « nouveau » fils de quarante-deux ans, en cas de liberté conditionnelle.

En 1982, c'est chose faite : Bernard prend son billet de train, direction les contrées verdoyantes. Quand on réalise que jamais Bernard n'a passé plus de quatre ans en liberté sans faire une grosse bêtise, on tremble. D'autant plus que la bêtise est chaque fois plus grosse : le vol de gamin, le cambriolage crapuleux, la prise d'otage… Enfin ! Bernard est bien décidé cette fois à se tenir tranquille. Avec une maison, la campagne, pas d'employeur pour le mépriser, la vie devrait enfin être tranquille. Et puis il y a sa mère…

L'usurpateur

Et justement, quand Bernard débarque chez sa mère, c'est une très grosse — et mauvaise — surprise. Bernard connaissait Damien, l'ami de Maman. Mais qui est ce jeune type de quarante ans, huit ans de moins que lui, qui vit avec Damien et Maman ? Retrouver sa mère après trente-huit ans de rupture et la voir vivre avec un individu qui pourrait être le fils de sa mère, c'est-à-dire soi-même, c'est très énervant. Surtout quand soi-même, on n'a jamais été élevé par cette mère. Alors on observe.

Tout énerve Bernard : ce type mange dans les assiettes de sa mère, regarde la télé de sa mère, parle à sa mère, possède les clés de la maison de sa mère. Et là, à force d'observer, Bernard revit Blanche neige et les sept nains, l'histoire qu'on ne lui a jamais racontée : les nains voient la trace de Blanche neige partout et à un moment, le dernier s'exclame : « Mais on a dormi dans mon lit. » Et c'est bien sûr ! Patrick A. dort dans le lit de sa mère ! Bernard ne comprend rien. Bernard le tuerait bien, ce faux fils qui lui a piqué la place.

Bernard, on l'a compris, a un problème d'image. On ne peut même pas dire qu'il se sent dévalorisé. Disons plutôt qu'il ne s'est jamais senti exister, sauf quand il a fait les gros titres de la presse au moment de la prise d'otage. Socialement, civilement, son nom n'est jamais apparu ailleurs : il n'a obtenu aucun diplôme, n'a jamais travaillé normalement, ne s'est jamais marié, n'a pas eu d'enfant, n'a jamais eu de domicile. Au village, sa mère ne l'a pas fait exister non plus. Quand il arrive, tout le monde se demande qui il est. On ne savait pas que Madame L. avait un fils qui s'appelait Bernard. En revanche, on supposait que Patrick était son fils puisque Damien l'appelait « le gamin ». En clair, le flou des discussions de bistrot a créé une sorte d'usurpation d'identité entre Patrick et Bernard. Pour Bernard, c'est une façon d'être anéanti une fois de plus. Comme si ce n'était pas déjà fait ! Patrick a tué Bernard en quelque sorte. Alors Bernard tuerait bien Patrick.

Le village suppose des relations de parenté plus ou moins étroites entre les trois hommes (Damien, soixante ans ; Bernard, quarante-trois ans, et Patrick, trente-cinq ans) et la femme (Madame L., soixante-huit ans). De toute façon, on renonce à comprendre : « Et si on faisait une belote au lieu de se chiffonner la tête pour des broutilles. »

Quand Bernard arrive au café, il est sûr qu'on le regarde de travers, surtout le vieux assis à gauche qui lance des drôles de regards par-dessus son jeu de cartes. Interprétations délirantes, paranoïa aiguë, jalousie torturante, Bernard en est sûr : au village, on le déteste. Parce qu'il a fait de la prison. Et soudain, il observe Patrick quand il arrive au café. Lui, on l'aime, cet être immonde. Ah ! Si on savait ! Mais quoi, au juste, à part qu'il dort avec sa mère ?

Et justement, Patrick révèle tout au comptoir. Bernard est ivre de rage. Il trouve que cet homme-là, non content de vivre chez sa mère, d'en être aimé et de dormir avec, salit sa réputation. Elle va passer pour une femme de mauvaise vie. Et pourquoi pas une prostituée aussi ? Il était déjà ex-taulard. Fils de prostitué, il a l'air de quoi ? Décidément, ce type veut sa peau. Il le tuerait bien.

Rien ne va plus entre les trois hommes. Entre Damien et Patrick, on se balance coups de couteau, invectives et chacun y va de ses mesquineries et de ses petites bassesses. Bernard déteste Patrick et ne veut plus « servir de tampon », selon ses propres termes.

Heureusement, il y a Simone pour échapper au trio infernal : cinquante-trois ans, dix ans de plus que Bernard, mais enfin sa mère a bien trente-trois ans de différence avec Patrick A. ! Alors... Elle est veuve ; elle s'ennuie toute seule dans sa grande maison. La morale est sauve. En face, il n'a pas sa place : ni traité comme un fils, ni amant, ni mari, ni père, on ne lui demande pas son avis, on ne se heurte même pas à lui. C'est comme s'il n'existait pas.

Simone, pour la première fois dans la vie de Bernard, lui propose un statut honorable : celui de mari. En août 83, Simone et Bernard s'épousent donc vite fait à la mairie, avec deux témoins et un bon repas. Oh ! Bernard ne voulait pas une grande fête, mais il est triste que sa mère ne soit pas venue. En rentrant de la mairie, il a dit à Simone : « C'est peut-être le Patrick qui l'a empêchée de venir. C'est bien malheureux de ne plus avoir que sa mère et qu'elle ne soit pas à son mariage. » Simone a acquiescé.

Ce qui est bien malheureux, c'est de penser que Madame L. préfère aller se balader dans les bois. Elle n'aime pas Simone. Elle ne rentrera jamais chez eux. La vie de son fils ne la regarde pas.

Quand Damien s'en va, on pourrait croire que cela va aller mieux en face, chez Madame L. Mais suivant l'exemple de son fils, elle décide de se marier. Elle épouse Patrick A. Elle l'a dans la peau comme on dit. Il n'y a pas d'âge pour ça. Bernard est furieux : il imagine Patrick en train de lui « manger la laine sur le dos », la laine, c'est à dire trois meubles qui se battent en duel. Pourtant, Patrick gagne sa vie chez Citroën. Contrairement à lui, Bernard, qui vit aux crochets de Simone ! Mais Bernard projette. Bernard déteste son double tellement plus aimé que lui. Il le tuerait bien.

« Je les aurai. »

C'est l'apothéose de la frustration quand Lydie, la fille de Patrick, débarque dans la maison d'en face. Voilà que Patrick donne à sa mère la joie d'être une sorte de grand-mère. Bernard L. n'a jamais fait cela et ce n'est pas avec Simone qu'il va procréer puisqu'elle a plus de cinquante ans. Il se trouve une fois de plus bon à rien, Bernard, et une fois de plus à cause de Patrick.

Lydie a été confiée à la DDASS à un an et a vécu chez une nourrice jusqu'à neuf ans, époque à laquelle la nourrice a déménagé. C'est comme ça qu'elle s'est retrouvée chez les G., des éducateurs qui l'adorent.

Elle a enfin osé demander : « Où sont Papa et Maman ? » On a fait le nécessaire. La question est plutôt saine. Maman était morte mais Papa n'était pas loin, à quelques dizaines de kilomètres. Elle a voulu le voir, et comme on a trouvé ce désir plutôt sain aussi, ils se sont vus. Patrick en a profité pour renouer avec sa belle-sœur, pour voir plus souvent sa mère qui habite Caen, et pour présenter sa fille à tout le monde.

Un comble pour Bernard L. que Patrick ramène sa mère chez sa propre mère ! Deux femmes du même âge ! Dans la tête de Lydie, Madame L. était la deuxième femme de Papa, donc une mère de remplacement. Lui, Bernard, qui n'a jamais eu de mère attentive, voit la sienne accueillir Lydie à bras ouverts. Il ne manquerait plus qu'elle vienne vivre là, cette Lydie ! Mais Patrick ne réclame pas d'héberger sa fille. Il sait qu'elle vit dans de meilleures conditions chez les G.

Et là encore, Bernard est furieux. Tout le monde s'aime. Tout le monde fait attention à tout le monde. Sauf à lui. C'est à cette époque qu'une lettre anonyme arrive à la DDASS : « Ne confiez pas Lydie au gars Patrick. C'est pas un type bien. Et d'ailleurs, il vit avec une femme qui a abandonné ses propres enfants. » Anonyme !

Quel que soit l'auteur de cette éloquente missive, les beaux dimanches avec du gâteau au dessert, les

Noëls avec sapin, Bernard n'a jamais connu. Ça l'écœure. Il les tuerait bien. Sauf sa mère.

Pour ça, il faudrait que Patrick soit une véritable ordure, et il le dirait à tout le monde et sa réputation au village serait foutue. Comme la sienne. Du moins, il imagine qu'elle est foutue.

Et justement ! À y regarder de plus près, est-ce que Patrick ne serrerait pas sa fille de trop près. Elle a douze ans après tout. Vu le désordre sentimentalo-sexuel qui règne dans la tête de Bernard L., avec tous ces étranges désirs qui transcendent les générations, ses soupçons se précisent.

Un jour, Bernard voit Patrick la main entre les cuisses de sa fille, une autre fois, elle est assise sur ses genoux. Bernard guette derrière le rideau du grenier ce qu'il estime être un manège dans la maison d'en face : un rideau tiré, une main qui s'agite. Madame L. dit un jour à Bernard qu'ils regardent la télévision tous les trois dans le lit. Étrange… Un jour, Bernard dit à Simone : « Tu ne trouves pas que c'est bizarre que Patrick lave les culottes de sa fille ? » Simone hausse les sourcils. Elle ne sait pas.

Mais pour Bernard, ces questions ne sont pas anodines. Il n'a plus qu'un but à ses journées : prouver ce qu'il pense. Le soir, Madame L. prend des cachets pour dormir. Comme ça, se dit Bernard, dans la chambre de Lydie au premier, ils sont tranquilles. D'ailleurs, il voit des ombres.

Trois ans d'espionnage plus tard, entre Patrick et Bernard, rien ne va plus. La haine s'est attisée. Bernard est plus que jamais fâché avec sa mère. Il mène une vie infernale au jeune époux de cette dernière. Elle qui croyait avoir définitivement la paix après s'être débarrassée de Damien, c'est son fils qui a pris la relève !

Un jour, Bernard crève les pneus de la voiture de Patrick pour l'empêcher de raccompagner sa fille au train qui la ramène chez les G. Comme ça, ils seront furieux et on empêchera Patrick de revoir sa fille. Bernard voudrait être sûr qu'il y a une justice sur terre. Un autre jour, Bernard invente autre chose, n'importe quoi du moment que ça mette Patrick dans le pétrin.

Mais Bernard ne fait du mal qu'à lui. Toutes ses tentatives restent sans effet. Le seul effet est que Patrick ne supporte plus Bernard et a de plus en plus envie de lui coller une raclée dès qu'il le croise dans la cour de la ferme. Quant à sa mère, elle ne veut définitivement plus en entendre parler. Bernard est abandonné pour la deuxième fois.

Le pire arrive en mai 1987 : Madame L. meurt. Patrick hérite. Elle meurt, il faut le reconnaître, dans des conditions étranges, dans la mesure où Patrick a peut-être tardé à chercher les secours. On ne le saura jamais. Elle s'éteint, comme une flamme, un matin, dans la voiture de Patrick qui la conduit à l'hôpital après un malaise. Patrick ne prévient pas Bernard qui ne l'apprend que le soir, par la gendarmerie.

Jusque dans la mort de sa mère, on le prend pour la dernière roue du carrosse. Et puis Bernard en est certain, Patrick a tué sa mère. Le jour de l'enterrement, ils manquent d'en venir aux mains au cimetière.

Le ton monte et la discussion se poursuit chez feu Madame L. Bernard veut récupérer les meubles. Patrick refuse. La sœur de Bernard, retrouvée pour l'occasion, s'en mêle : Patrick a le droit de garder les meubles. Décidément, c'est une conspiration. Le dialogue se termine par un : « Je vais te tuer », « Moi aussi » et une droite de Bernard à Patrick. Charmante journée de deuil !

Bernard pleure des journées entières la mort de sa mère. Il dit qu'il n'a plus personne au monde, qu'il est orphelin. Simone trouve ce chagrin disproportionné puisque Bernard n'a jamais été élevé par sa mère. Mais Bernard est tout seul à comprendre que justement, désormais, il n'y a plus l'ombre d'une chance pour qu'un jour, sa mère s'occupe de lui.

À la tristesse succède la haine contre Patrick. Patrick a peur. Bernard est vraiment enragé. Patrick décide d'aller vivre à Caen chez sa mère, pour échapper à la colère de Bernard. Patrick a tout : il avait une femme que Bernard aimait (puisque c'était sa mère), il a encore une fille, il a encore sa mère. Et lui, Bernard, n'a plus rien ni personne sur quoi ou sur qui passer ses nerfs. Même pas Patrick qui l'a fui.

Quand Patrick revient avec Lydie pour le week-end, l'espionnage devient l'activité obsessionnelle de Bernard. Il n'arrive pas à les prendre en flagrant délit. « Il est malin ce salaud de Patrick, rabâche Bernard à Simone, mais moi, je serai plus malin qu'eux. Moi, je les aurai. »

Aux premières vacances d'été après le décès de Madame L., en août 1987, Patrick et Lydie arrivent bras dessus, bras dessous au village. Ils s'installent dans la maison de Madame L. et une fois de plus, Bernard a des sueurs froides de jalousie. Puisque sa mère n'est plus là pour surveiller, l'inceste devient une certitude dans la tête de Bernard. Il voit des indices, et même des sortes de preuves.

Par exemple, Patrick a investi la chambre du premier étage, celle qui jouxte celle de sa fille. Il a acheté une nouvelle paire de rideaux. Ils rigolent tous les deux plus que jamais dans la journée. Et plein d'autres choses comme ça ! C'est clair, on se moque de lui. Ah ! Si sa mère était encore là pour voir cela... Et si Bernard vengeait tout le monde ? Bernard dira avoir pris la décision de tuer à cette époque-là.

L'incertitude

Durant six mois, Bernard va ruminer sa vengeance sans en dire un mot. Aux vacances de Noël, Patrick arrive encore avec Lydie, bras dessus, bras dessous, comme d'habitude. Et puis ils sont toujours fourrés chez la mère de Patrick, à faire la fête et manger de la galantine. Lui, le soir de la Saint Sylvestre, il dîne avec Simone, il regarde la télé, et Simone se couche. Dans son lit. Bernard imagine « le Patrick » en train de rigoler chez sa mère. L'horreur ! Avec Lucie, la patronne du bistrot. Si ça se trouve, ils sont même en train de se payer sa tête et ça les fait bien rire. Et si ça se trouve, Patrick tape sur les cuisses de Lydie en lui racontant des bonnes blagues et Lydie s'esclaffe, comme d'habitude. Bernard n'a pas sommeil. Il est très énervé.

Il sort, prend une échelle dans la grange, démastique un carreau du premier étage et rentre dans la maison. Il la connaît bien puisqu'il y a vécu !

Il va chercher la carabine cachée sous un lit. Tapi sur le palier en haut de l'escalier, il guette. C'est long des heures, dans le noir, plié en quatre, à attendre, une nuit de la Saint Sylvestre, avec une carabine à la main. Mais la vengeance n'a pas de prix. Quand Patrick et Lydie arrivent, on ne sait plus avec certitude ce qui se passe, puisque, faute de témoin survivant, nous ne disposons plus que du récit de Bernard.

Ils se coucheraient dans le même lit. Ils commenceraient à se caresser. Bernard rentrerait dans la chambre et Patrick, surpris, allumerait la lumière. Alors Bernard verrait le membre viril épanoui de Patrick et cela achèverait de le convaincre de la validité morale de son geste. Il tirerait après l'avoir traité de salaud. Lydie crierait. Et il tirerait à nouveau. Sur Lydie.

Ensuite, c'est exact, Bernard a fermé la porte de la chambre à clé, pour enfermer ces « saletés » et il a posé la clé sur le buffet. Il est parti après dans les bois, avec la voiture de Patrick, pour la brûler, pour qu'il ne reste vraiment plus rien de la vie de celui qu'il avait tant haï. Il serait rentré chez lui à pied.

Une seule chose est sûre, c'est que le lendemain matin, il s'est occupé des bêtes et a déjeuné avec Simone comme si de rien n'était. Ce jour-là, le repas n'était pas trop mauvais. En ce premier jour de l'année, Simone avait fait un effort pour lui faire plaisir. C'était un si brave type.

Entre Simone et lui, la vie a été normale jusqu'au 6 janvier, quand Bernard a fui. Il est parti se cacher dans le bois. En enterrant la carabine, il s'est blessé à la jambe. Il a brûlé la voiture, celle que Simone lui avait achetée, il ne sait plus très bien pourquoi. On connaît la suite.

« Ce ne serait pas une mise en scène ? » a demandé un habitant du village, en apprenant l'inceste et le double crime. On ne sait pas. On ne saura pas. Étonnamment équilibrée pour une adolescente violée par son père retrouvé, Lydie semblait plus heureuse depuis qu'elle connaissait son père. On ne retrouvera pas de traces de sperme dans le lit des victimes. On n'aura que la version de Bernard L. Les experts-psychiatres diront que « ce n'était pas une construction délirante, tout au plus une interprétation abusive ». Pour nous, c'est du pareil au même.

La question reste : oui ou non cet inceste a-t-il existé ? Bernard L. a-t-il pu déplacer les corps après le meurtre ? Tout inventé pour qu'enfin Patrick A. « arrête de faire le coq », comme il l'a déclaré à la police. Bernard a aussi dit que « cet inceste était malheureusement improuvable. Il n'y a que moi qui ai vu ». Il a expliqué qu'il avait tué Lydie aussi « parce qu'elle aurait été traumatisée du souvenir de son père assassiné sous ses yeux et que ça aurait fait des embrouilles dans sa tête ». Il a dit qu'il avait agi pour rétablir la vérité et qu'il n'était pas fou. Il ne voulait surtout pas aller à l'hôpital psychiatrique, comme pendant six ans il y a longtemps, parce qu'il y avait été très malheureux. Il a écrit au juge d'instruction pour dire : « De toute façon, ça ne sert à rien d'essayer de me soigner ; j'ai quarante-sept ans et je ne peux plus guérir, alors… »

Il a été condamné à perpétuité, condamnation assortie d'une peine de sûreté de vingt ans. Mais il s'est dit que pour une fois, il avait été utile à la société. Il avait « agi en justicier ».

Simone a été très triste. Elle n'aurait jamais pensé que Bernard pourrait faire une chose pareille. Comme il avait brûlé la voiture, elle ne pouvait pas aller le voir en prison et au village, plus personne ne voulait lui parler. Les gens en avaient assez de toutes les histoires héritées de Madame L. Simone a beaucoup pleuré. Elle l'aimait, elle, Bernard L., et lui, il répondait : « C'est grâce à toi que je suis bien. »

• • • • •

Bernard a passé toute son existence à faire des bêtises, puis à commettre des fautes, des délits, et enfin des crimes. Il a passé son existence à payer ensuite le prix pour sa liberté, jusqu'à ce double assassinat qu'il risque de payer par le nombre d'années qu'il lui reste à vivre.

Bernard ne sortira probablement jamais de prison mais il a accueilli le verdict sans réaction particulière. Il ne pouvait rien faire de sa liberté. Il était considéré comme un cas social incurable, un cas psychologique désespéré. Et l'on se dit que tous les actes de sa vie concourraient vers cette destination définitive, là où il n'est plus nécessaire ni d'agir ni de penser.

Mᵉ Chereul, son avocat, a plaidé que Bernard avait été vu par quinze collèges d'experts en vingt ans, dont cinq avaient estimé qu'il relevait de l'article 64. C'est vrai, jamais Bernard n'a eu assez de conscience pour désirer un avenir ou se donner un but, et quand il réfléchissait, c'était pour tout confondre, se perdre dans des conjectures invraisemblables et élaborer des projets criminels.

Mais cette nuit de la Saint Sylvestre, Bernard a été patient, rigoureux, et logique ; les experts-psychiatres ont donc estimé que Bernard était responsable de ses actes au moment des faits. Pour la première fois, une idée l'avait hanté continûment. En citoyen, on trouve que toute logique meurtrière est démente. En citoyens, les jurés ont envoyé cet homme derrière les barreaux pour très longtemps, afin de ne jamais avoir à le croiser dans la rue.

Fou ou non, Bernard était dangereux. Trop de brume, aucun phare à l'horizon de sa vie, aucune balise sur son chemin, depuis toujours, la société s'en protégeait par périodes, à intervalles réguliers.

Le jour où, pour la première fois, Bernard se trouve une famille, la sienne, et non une prison ou un hôpital, il passe à l'acte, exorcisant toute sa violence. L'éternel vagabond croyait terminer son périple mouvementé dans la quiétude d'un tendre foyer. Il y a trouvé des tensions, du désordre, aucun repère et une mère qui trépasse pour finir. Il a voulu tout effacer, même les âmes qui survivaient.

Contrairement à Bernard, Pierre et son frère, avec leur vingtaine d'années, leur vie sentimentale bien rangée et leur métier avaient tout à espérer et rien à oublier. Ils n'étaient ni étranges, ni inquiétants. Ils n'avaient jamais été voyous et n'étaient pas appelés à le devenir. Ils étaient simples et clairvoyants.

Pourtant, un soir, ils tuent leur père. À deux. Parce que pour éliminer la haine qui les dévore, ils n'étaient pas trop de deux sur la carabine. Ils se sont trompés puisque, finalement, ils aimaient leur père. Mais comme Bernard, ils voulaient jouer les justiciers, les sauveurs. Comme Bernard, ils ont cru rétablir la justice avec une carabine.

• • • • •

Pierre,
le fils obéissant

À la sortie des caves tourangelles en plein mois de juillet, les amateurs de crus, grands et petits, ne sont pas toujours très sobres. De la terrasse des bars à vins, avec le soleil, on ne repart pas en marchant toujours très droit. Les gendarmes ont l'habitude d'intervenir pour un véhicule atterri dans le fossé ou une bagarre d'ivrognes. C'est le pays qui veut ça ! Mais le coup de téléphone qu'ils reçoivent le 16 juillet 1988 à 21 heures 40 a une toute autre origine : « Venez ! Mes deux fils viennent de tuer mon mari ! » Le parricide à quatre mains, ce n'est pas ordinaire. Ni ici, ni ailleurs.

Arrivée devant le petit pavillon de la famille G., la camionnette bleue des gendarmes est accueillie par une véritable haie d'honneur. Trois filles et une mère se tiennent, muettes, devant la petite véranda du pavillon. Deux fils se laissent passer les menottes aux poignets sans mot dire. À n'en pas douter, les G. ont l'air d'être des gens biens. Mais au bout du couloir,

Jean, le bon père de huit enfants, baigne dans une mare de sang, mort, de deux balles tirées par deux de ses fils. Chacun une balle ! L'un après l'autre, avec la même arme.

Sans raison

Ils avaient tout lieu d'être fiers de leur famille et de leurs presque trente ans de mariage, les G. Il n'y avait pas vraiment eu d'anicroche dans ces vies-là, sauf la troisième fille, que Micheline, sa mère, avait mise à la porte à dix-huit ans. Elle voulait toujours sortir, celle-là, alors au moins, elle n'aurait plus besoin de demander. Sur huit enfants, un échec — qui n'en est pas un puisqu'elle mène une vie parfaitement stable dans un village voisin — c'est peu.

Pour les autres, il n'y a pas grand-chose à dire. Ils ont entre seize et vingt-huit ans et ont tous un diplôme en poche, un métier, une vie régulière. Certains se sont mariés. D'autres non. Certains ont déjà des enfants. Les autres y pensent. Angélique, la petite dernière, n'a que seize ans, mais elle a déjà le sérieux de ses aînés.

Il faut dire que les parents ont montré l'exemple. Jean, le père, a toujours travaillé comme chauffeur routier. Micheline, une fois ses enfants élevés, a trouvé un emploi à la mairie pour l'aider à payer les traites du pavillon acheté sur vingt ans, comme chez tout le monde. Micheline menait son petit monde à la baguette. C'est normal. Avec un mari toujours sur les routes et ces huit enfants, être mère était un véritable travail de chef d'entreprise. Et de fait, au village, on l'admirait pour son courage.

Avec Pierre, vingt-trois ans, et Hervé, vingt ans, qui deviennent criminels, pire, parricides, c'est l'imprévu qui entre dans la vie des G. par la mauvaise porte. Un père baignant dans son sang, une mère veuve, tous ces orphelins, quel gâchis ! Ils avaient toute leur vie devant eux, Pierre et Hervé. Et elle était bien partie ! Ils avaient tous les deux un métier sérieux. Hervé était chauffeur routier, comme son père ; Pierre travaillait dans le sud sur des chantiers.

En plus, Pierre était déjà papa, depuis deux ans, et avec sa toute jeune femme et leur bébé, ils s'aimaient tellement qu'ils ne se quittaient pas. Quand Pierre a appris qu'il aurait besoin de se déplacer souvent dans son travail, il a dit à Valérie : « Tiens ! On va acheter une caravane comme ça on pourra dormir toutes les nuits ensemble ! » Valérie a dit oui, évidemment. Ils ne supportaient pas de se quitter. Pour les vacances, ils étaient montés en Touraine avec la caravane, tous les trois, pour voir la famille et montrer que bébé commençait à dire des mots.

Quand Pierre est emmené à la gendarmerie entre deux représentants de l'ordre, on se dit que son enfant ne va plus dire « B'jou Pa-pa » pendant quelques jours et que Valérie va dormir toute seule. Parce que Pierre a le sang de son propre père sur les mains. Quel gâchis !

Qu'est-ce qui a bien pu transformer ces deux jeunes gens exemplaires en parricides ?

« Le monstre »

La police commence les premiers interrogatoires pour trouver une explication à cette soudaine pulsion meurtrière. Et ils découvrent une vie de famille simple, certes, mais pas franchement idyllique.

Le charmant pavillon, la famille nombreuse et les existences ordinaires et tranquilles, c'était pour la photo de famille, l'instantané sur papier qu'avaient eu les gendarmes en arrivant sur les lieux. Oui, la vie n'était, hélas, pas très originale : l'éternelle histoire du père qui boit et de la mère qui trinque. L'un, ivre de vin, menaçait l'autre, ivre de coups. Les enfants avaient vécu toute leur enfance dans cette ambiance, craignant qu'un jour, le père tue la mère. Devenus adultes, ils continuaient à redouter que l'inévitable se produise. La haine était montée, en même temps que la peur. Et ce soir-là, ils avaient décidé d'en finir, eux les deux frères, avec ce père, pour sauver leur mère, pour sauver tous leurs frères et sœurs de la peur.

Pierre habite dans le sud depuis deux ans. Et là-bas, il essaie de ne pas penser à la vie que les autres continuent à endurer, « là-haut ». Mais dès qu'il revient, c'est la même chanson : « Le père a encore battu la mère ; un jour, le père va la tuer ; la mère a dit qu'il avait menacé de la tuer ; il était encore "bourré". » Tous ses frères et sœurs lui répètent. Sa mère, Micheline, confirme, l'air épuisée.

Il ne s'arrêtera donc jamais ce père alcoolique et violent ? Il n'est pas là souvent pourtant, juste le week-end et un jour en semaine, et encore, puisqu'il fait des centaines de kilomètres sur les routes. Mais on peut être sûr que le lendemain de son arrivée,

Micheline arrive dans la cuisine avec un bleu et dit à ses fils : « Regardez encore ce que le père m'a fait. » Quand les fils questionnent le père, l'insultent, il hausse les épaules et prend la tangente. Il essaie d'ailleurs de faire « vie à part » en prenant ses repas tout seul et en allant dormir dans la cave aménagée en chambre de fortune.

Tous les enfants, un par un, vont déposer devant la police et raconter exactement la même chose. Ils parlent du passé, de leurs sales souvenirs, mais aussi du présent, de leurs angoisses. Deux d'entre eux sont encore chez les parents, la petite Angélique qui a seize ans et Hervé. Les aînés souffrent pour les petits derniers. Ils ont envie de les protéger. Hervé en tête bien sûr, puisqu'il n'a pas encore quitté le domicile familial. Il sait de quoi il parle. C'est pour cela qu'il a tiré sans culpabilité aucune. Pierre n'a aucun remords non plus. Il en a assez entendu.

Le 14 juillet, quand Pierre est arrivé avec sa petite famille et sa caravane, il a croisé sa mère qui tient le camping municipal. Elle lui a dit : « Attention si tu vois ton père. Il a acheté des bouteilles. Ah ! C'est pas facile pour moi. D'autant qu'il commence à faire des problèmes avec l'argent. »

Pierre était écœuré. Vraiment ! Faire souffrir une mère de famille qui s'est toujours décarcassée pour faire marcher la maison sur le bon chemin, ça ne devrait pas exister ! Il croise encore deux de ses sœurs ce soir-là : « Le père, c'est de pire en pire. Il va finir par la tuer. » Pierre a la haine au cœur. Il sait, lui, ce que c'est une famille et une maman. Il ne se voit vraiment pas frapper sa petite Valérie et tout faire pour la rendre malheureuse.

Le soir, en rentrant à la caravane, Pierre raconte tout à Valérie. Il ne comprend pas qu'un être aussi abject puisse continuer à vivre tranquillement, sans que justice soit faite. Valérie essaie de le raisonner mais Pierre est empli de ces mots des sœurs, de la mère, croisées dans la journée : « Tu ne te rends pas compte, toi ! Mets-toi à leur place ! » Pierre s'évertue à convaincre Valérie de la monstruosité de son père. Il se sent mal dans sa peau, coupable de ne rien pouvoir faire, impuissant. Il est en colère, il rage, mais il est angoissé surtout.

Dans son esprit, il passe et repasse le film de la catastrophe annoncée par ses sœurs et par sa mère : le père tue la mère ; la petite Angélique se retrouve seule, sans mère protectrice, avec plus personne pour grandir qu'un père assassin en prison.

Pierre n'est pas violent. C'est un type calme, consciencieux et raisonnable. Pas du tout le genre de cerveaux où germent des projets criminels. Alors, pendant la nuit, il tourne et retourne dans sa tête tous les scénarios pour protéger sa mère. Au petit matin, il a trouvé.

Il va acheter une carabine et décide qu'au moindre risque pour un cheveu de sa mère, il menacera le père. Pierre se sent fort, responsable. Si sa mère se faisait tuer pendant qu'il est dans la région, il ne se le pardonnerait jamais. Toute la journée, il sillonne les armureries du coin pour trouver un fusil à longue portée. De près, car quand on tire à bout portant, c'est qu'on est face à l'adversaire et à ce moment-là, on peut se battre et maîtriser l'autre. Si Pierre avait besoin de tirer, ce serait de loin, en entendant les derniers cris d'appel au secours de sa mère.

Il finit par trouver et va avec Hervé, tout content de son jouet, s'entraîner dans la forêt. Ils tirent sur les boîtes de conserve et se prennent au jeu.

À Hervé, Pierre n'explique pas l'achat du fusil. Mais quand il entend, en pleine forêt, Hervé raconter la vie à la maison, il se dit qu'il a vraiment bien fait, et s'entraîne d'autant plus consciencieusement. Hervé lui dit : « Tu ne te rends pas compte, toi, parce que tu es loin. Mais si tu savais ce qu'on endure. Hier, j'ai encore dû les séparer tellement le père était bourré. Maman était dans la salle de bains et elle hurlait, et il cognait. Si je n'avais pas été là ! Je préfère ne pas y penser. » Pierre en a les larmes aux yeux, tellement il se sent impuissant. Et quand il pense qu'il va retourner dans le sud et laisser le carnage avoir lieu, cela lui donne froid dans le dos.

En sortant des bois, Hervé et Pierre rentrent chez les parents. Pierre, qui dort au camping, laisse son fusil dans la chambre de Hervé. Valérie n'aime pas les armes. Elle ne pourrait jamais s'endormir à côté d'un fusil. Elle aurait trop peur.

Le lendemain, soir du 15 juillet, Pierre discute avec sa sœur Julie. Elle lui raconte que ce n'est plus le grand amour avec son ami et qu'elle dort provisoirement chez les parents. Une petite séparation pour y voir plus clair. « Mais alors quelle vie ! Mon pauvre Pierre, tu as bien de la chance d'avoir quitté le coin parce que si tu savais ce que Maman supporte ! » La colère de Pierre monte inexorablement, par paliers, au gré des confidences familiales.

Ce que Maman supporte, c'est ce que Micheline elle-même raconte aux enquêteurs. Bien sûr, dans cette famille, on ne torture pas comme chez les paysans, en laissant des marques sanguinolentes qui sautent aux yeux. On épuise en douceur, on lamine de l'intérieur.

La mère raconte que son mari levait la main sur elle de temps en temps, fort parfois, pas toujours, mais surtout qu'il la harcelait psychologiquement. Elle parle de ses huit grossesses forcées avec des tremblements dans la voix. Enceinte, plein de petits en bas âge, un mari sur les routes qui ne rentre que pour picoler jusqu'à ce qu'il s'effondre et insulte sa femme, c'est une vie bien pénible. Évidemment, il cache son jeu devant les enfants, et elle essaie aussi de les préserver. Elle ne leur dit pas tout. Comment pourrait-elle leur dire qu'il la force à avoir des rapports sexuels, alors qu'il a déserté le lit conjugal pour sa chambre à la cave ? Comment leur avouer à quel point elle souffre, à quel point elle dépérit ? Jamais il n'a accepté qu'elle travaille et si elle a fini par prendre un emploi, c'est grâce à un combat acharné de plusieurs années. Il était trop jaloux, trop dictatorial, trop possessif, pour la laisser sortir, pour la laisser vivre. Jamais il ne l'a soutenue dans l'éducation des enfants.

Pis, après en avoir fait une mère de famille nombreuse pour la garder à la maison, il s'est mis à être jaloux des enfants en qui il voyait des rivaux l'empêchant d'être le roi à la maison. Il voulait tout l'amour pour lui, toute l'affection, comme un gamin tyrannique. Elle, elle voulait que ses enfants aient tous une bonne situation, alors il fallait bien qu'elle s'occupe d'eux.

De toute façon, Micheline décrit son mari à la gendarmerie en peu de mots : « Il était dur, mauvais, jaloux, brutal. » Beaucoup de défauts pour un seul homme ! Ah, ça oui ! Jean avait l'air plutôt soumis, avec son mètre soixante, un peu gringalet, mais il n'y a pas que les muscles qui peuvent faire mal, il y a aussi les contraintes morales, les sévices psychologiques.

Ce mari-là cachait bien sa brutalité, mais Micheline explique : « Depuis son accident, c'est de pire en pire. » De toute façon, chaque jour qui passait dégradait leurs relations, si l'on peut dire, puisqu'il n'a jamais existé entre eux aucun respect, aucun dialogue, aucune complicité. Jamais. « Même au début », précise Micheline. L'accident, c'est ce fâcheux dérapage en camion qui a fracturé le bassin de Jean et l'a immobilisé plusieurs jours. Il était tellement énervé ! Il en était devenu fou ! Sa violence s'est accrue, c'est dire ! Tous ses défauts se sont amplifiés. Non, vraiment, il aurait fini par la tuer !

Les gendarmes hochent du képi, un peu perplexes. Pourquoi ne pas avoir quitté ce monstre ? Parce qu'il y avait les enfants et qu'une mère n'abandonne pas huit enfants à un tel père. Mais depuis que la plupart ont quitté la maison ? Elle ne se l'explique pas, Micheline. L'attachement, la peur peut-être... De toute façon, dès le début, « c'était l'enfer ». Après, on reste par habitude.

La seule issue

« L'enfer » est confirmé par les enfants qui racontent les dernières heures que leur père leur a fait vivre. Quand Pierre passe voir son père, le soir du drame, il croise sa mère qui lui dit : « Encore saoul le père ! Je n'en peux plus. Il m'a battue encore aujourd'hui. » Pierre croise alors Hervé : « Eh oui ! Il a recommencé comme hier. »

L'après-midi, il a croisé ses sœurs à qui il a montré le fusil, comme un enfant avec son dernier achat. Il est comme ça, Pierre, toujours à vouloir épater les autres ! Ses sœurs se sont regardées d'une drôle de façon. Oh ! Elles ne lui ont rien demandé bien sûr, mais Pierre a senti que ce serait un soulagement pour tout le monde, s'il se servait de son arme contre le père. Valérie, la copine de Pierre, a surpris ce regard-là, a lu cette pensée dans la tête de l'homme qu'elle aime. Elle a juste dit : « Fais pas ça, Pierre. » Pierre n'a rien répondu. Il ne sait plus, lui, ce qu'il faut faire avec tous ces gens qu'il croise et qui souffrent à cause d'un tyran.

À vingt heures, Pierre trouve son père à table. Seul. Comme d'habitude. Sa mère et trois des sœurs sont au camping, à travailler. Et sur la table trône une bouteille de vin. Comme d'habitude. Le père a l'air de très mauvaise humeur. Il râle : « Ta mère me fait des entourloupes avec l'argent. » Quel culot ! Alors que Micheline a raconté combien le père la rationnait, au point qu'elle ne savait plus comment s'en sortir. Le père râle encore : « T'as toujours pas fait vérifier les pneus de ta voiture. Tu n'écoutes vraiment rien ! »

La colère monte dans le cœur de Pierre. Ce ne sont pas les mots du père qui sont intolérables, c'est l'interprétation que Pierre en fait. Tout, même les petites remarques anodines, amplifie graduellement sa haine. Rien que le visage, la présence de son père sont « de trop », après tout ce qu'il a entendu. Il faudrait qu'il le père se taise, qu'il cesse. Mais au lieu de s'arrêter, le voilà qui dit : « J'en ai marre de ta mère. » Et s'il la tuait pour s'en débarrasser, songe Pierre avec angoisse. D'ailleurs, le père l'a dit. Enfin... Pierre ne sait plus si le père l'a dit ou l'a pensé. Mais lui a entendu.

Quand Jean, très énervé pour des raisons que Pierre ignore, s'empare de son couteau de cuisine, Pierre ne voit pas face à lui un père stressé qui s'apprête à dîner avec un verre de vin, mais un ivrogne doublé d'un assassin diabolique. Il lit de drôles de lueurs dans ses yeux.

Pierre, survolté et apeuré, fonce dans la chambre d'Hervé, s'empare du fusil et tire en fermant les yeux sur son père. Le père vacille. Justement, Hervé arrive au même moment et aperçoit Pierre, le fusil, et le père qui commence à les poursuivre, couteau en mains, dans le couloir qui mène à la véranda. Hervé, alors, arrache le fusil des mains de son frère et tire à son tour. « Il fallait en finir », dit Hervé, parce que lui, la haine, c'est au jour le jour qu'il la sent grandir. Au contact de son père qui boit. Et de sa mère qui trinque.

Ce père mort, les deux fils vont retrouver la mère et les sœurs au camping. Sur le chemin, ils ont croisé Romain, l'aîné de la fratrie. Tout le monde se croise toute la journée dans cette famille. Ils sont tellement nombreux ! À leur aîné, Pierre et Hervé ont juste dit : « On a tué le père. » Romain n'a pas posé de question. Il a su que c'était vrai. Aux « femmes », une fois arrivé au camping, Hervé a dit : « Ça y est. Il l'a fait », en parlant de Pierre qui ne disait rien.

Ça ne fait pas plaisir de tuer, même un monstre. Ça ne fait pas plaisir d'apprendre un décès, même d'un monstre. Alors, on n'a pas trop parlé, et en procession silencieuse, rejointe par l'aîné Romain, on a regagné le pavillon pour retrouver le père, le père qui baignait dans son sang. Et on a appelé la police. On n'était pas gai mais on était soulagé, un peu, quand même, de ne plus porter toute cette haine, toute cette souffrance, et cette tragédie qui s'annonçait comme un gros tas de nuages sombres s'amoncellant inexorablement à l'horizon de la vie de famille. Il n'y avait plus le père, mais au moins, il y aurait toujours la mère.

Seule Valérie pleurait vraiment, de devoir dormir le soir sans son Pierre, seule avec le bébé. Mais l'une des sœurs a dit à Pierre: « Tu sais, c'était un monstre. Tu ne seras gardé que vingt-quatre heures » et l'autre a ajouté : « Au pire, tu seras gardé trois jours. » Valérie n'était pas sûre. Elle ne connaissait rien à la justice mais elle lui avait dit : « Fais pas ça. »

Devant le bureau des gendarmes, Pierre est plus inquiet qu'Hervé, qui ne regrette rien. Après quelques auditions, l'affaire est quasiment entendue. On est face à un crime mûrement réfléchi, de deux fils qui veulent protéger leur mère. Tout le monde était au courant que Pierre avait acheté une arme ; tout le monde avait une raison de vouloir la mort du père et l'a donnée à Pierre. Pierre a bien vu, d'ailleurs, son père ivre avec un couteau. On a retrouvé le vin, le couteau, le revolver. Ça ne fait pas un pli.

Inculpés de parricide le 18 juillet 1988, soit deux jours après les faits, Pierre et Hervé se retrouvent derrière les barreaux et l'enquête de personnalité pour en savoir plus sur le « monstre » commence.

« P'tit Jean »

Quelle étrange personnalité, ce Jean G. ! Docteur Jekyll et Mister Hyde, à côté des deux versants de la personnalité de Jean, ce n'est rien. Le plus gros défaut qu'on lui trouve, c'est sa jalousie. « Jaloux comme un tigre », disent ses amis avec nostalgie. Au bal de la salle des fêtes du village, c'est même devenu une plaisanterie habituelle. Les copains de Jean n'osent même plus se risquer à demander une danse à sa femme tellement cela le rend fou. Ils envoient leur propre femme danser avec Micheline. Micheline n'a pourtant rien de Madonna. Elle a des tas de qualités, mais elle n'a pas le physique incendiaire qui dissipe tous les valseurs d'un bal de campagne. Et puis après trente ans de mariage, normalement, la possessivité passionnelle s'est un peu calmée. Pas chez Jean. On se souvient même qu'une fois, il lui a donné une claque parce qu'elle avait serré un homme d'un peu trop près. On vous le disait bien qu'il était violent !

En lisant le journal qui fait ses gros titres sur ce meurtre en famille, tous les amis et collègues de travail de Jean, ses copains chauffeurs routier et quelques autres, sont abasourdis. Jean, le bourreau tué par ses fils ? Ils se présentent spontanément à la police : le « monstre » décrit par les journalistes ne peut pas être celui qu'ils ont connu. Pour eux, c'est évident, il y a erreur sur la personne. Alcoolique, Jean ? Il ne buvait pas une goutte d'alcool ! Et pourtant, chez les routiers, on ne recule pas devant le quart de vin au déjeuner. Il faut bien se remonter, comme on dit ! Jean, jamais. Même pas un panaché à quatre heures après la route.

Quand il revient de mission, il appelle Micheline pour qu'elle vienne le chercher à son entreprise de transports et il dit : « À lundi. » Il ne parle pas beaucoup parce qu'il n'aime pas les histoires. C'est pas lui qui va raconter des coucheries en riant grassement ou dévoiler sa vie avec sa femme. D'ailleurs, tous les employeurs le disent. Dans le métier, on n'en veut pas des comme ça. Avec les ennuis et les histoires qu'il ramènent, des types pareils coûtent plus cher à employer que ce qu'ils rapportent par leur travail. Jean, au contraire, est toujours sobre et toujours à l'heure. C'est bien pour cela qu'il n'a pas eu beaucoup d'employeurs. Battre sa femme, Jean ? Allons donc ! Avec son mètre soixante alors que Micheline est une matrone ? Il est tellement gringalet, doux et renfermé, qu'on l'appelle « P'tit Jean ». Les routiers n'hésitent pas à se payer sa tête quand il s'installe au volant du trente-huit tonnes : « T'inquiète pas, P'tit Jean, on va te payer le coussin pour la Noël, pour que tu sois à la hauteur ! »

Et puis parmi les copains de Jean, certains ont reçu d'étranges coups de téléphone dans les trois jours précédant sa mort. Pourtant, Jean, ce n'est pas une adolescente en mal de confidences. Il ne téléphone jamais. À l'un, il demande : « Tu crois que Micheline me trompe ? » Son obsession qui revient ? On ne sait pas, mais le bruit court dans le coin. Il n'y a pas qu'aux oreilles de Jean que c'est arrivé. Aux oreilles des copains aussi, mais comme ils aiment bien P'tit Jean, ils ne disent rien.

À un autre, il explique une sombre histoire de comptes bancaires que Micheline a ouvert à son propre nom parce qu'elle a hérité plus ou moins sans lui dire. Enfin, c'est compliqué. Jean lui-même n'y a rien compris quand il est tombé sur les papiers par hasard. Micheline n'a pas voulu lui dire de quoi il s'agissait : « Ça ne te regarde pas ! » Jean en a marre. Il parle d'une solution à un autre copain : « Je voudrais divorcer et vendre la maison pour pouvoir prendre un appartement en ville et vivre en paix. » À un autre, il dit : « J'aimerais prendre ma retraite bientôt mais Micheline ne veut pas parce qu'elle trouve qu'on n'aurait pas assez pour vivre. » Jean sait que si. C'est le brave type. Il a cotisé partout, bien rempli les papiers, et il touchera une bonne retraite.

À un autre copain, parce qu'il en a des copains, P'tit Jean, il confie que sa femme lui en veut parce que certains enfants lui sont trop attachés. Elle est jalouse. Souvent, il demande des nouvelles de celle que Micheline a mise dehors à dix-huit ans. Il ne l'a pas revue. Micheline ne le tolérerait pas. Pierre est le seul à avoir gardé contact avec elle. Chaque fois qu'il monte dans la région, il vient l'embrasser. Par Pierre, Jean apprend que sa fille va bien. Ça le rassure. Il est sensible, P'tit Jean.

Et justement, on retrouve cette fille, Marie, la seule qui n'ait pas été présente au moment du crime et qu'on n'a même pas pris la peine de prévenir. La gendarmerie arrive chez elle et après les condoléances de rigueur, commence à se passionner pour sa version de la vie familiale. Sa mère l'a mise dehors parce qu'elle aimait un peu trop aller en discothèque. Quand elle a voulu récupérer ses affaires, sa mère l'a envoyée promener par un courrier élégant : « T'es qu'une petite salope et une pute. » Pour une mère de famille exemplaire, la réponse semble un peu crue.

Quant à son père, Marie n'a aucun souvenir de l'avoir vu ivre, sauf un soir, vaguement, après une dispute avec sa femme durant laquelle il avait arrosé ses reproches de pastis. Deux verres bien tassés. Quant aux coups, elle ne se souvient que de quelques gifles qui volaient de temps en temps, mais dans les deux sens, comme ça arrive dans les vieux couples mal assortis. Elle se souvient aussi que Micheline était bien tranquille quand P'tit Jean était sur les routes et qu'elle était d'une humeur massacrante dès la veille de ses retours.

Et surtout, deux jours avant les faits, son père l'a appelée. Elle était surprise. Ça faisait si longtemps qu'ils en rêvaient l'un et l'autre sans oser le faire. Marie a eu peur qu'il se soit passé quelque chose de grave. Pour Jean, c'était grave. Il chuchotait dans le téléphone qu'il venait de découvrir des choses très troublantes, très pénibles, qu'il ne pouvait pas parler fort parce que les sœurs étaient dans la pièce à côté, qu'il voulait la revoir parce qu'il était seul et que tout le monde s'était ligué contre lui. Marie a dit oui, évidemment. Revoir son père quelques jours après, loin de cette mère tyrannique, lui faisait plaisir.

En bref, s'il y avait une victime dans ce couple-là, c'était plutôt Jean. Marie conclut donc sa surprenante déposition en disant qu'elle ne comprend pas le geste de ses frères, surtout de Pierre, puisque c'est celui avec qui elle est restée en contact et dont elle s'est toujours sentie la plus proche. Ils étaient tous les deux mal vus par leur mère. Ils aimaient trop le père. Pierre a fugué un jour, tellement il en avait marre de la mère.

Non, vraiment, Marie ne comprend pas. Le geste de son frère ne ressemble pas au doux Pierre qu'elle connaît, toujours à se soucier des autres. Alors elle dit : « Il a fallu qu'il soit poussé. Ou qu'on lui promette quelque chose. » Quelle idée !

Perplexes, les gendarmes vont poser quelques questions aux proches de Micheline.

Micheline, la maîtresse femme

Ceux qui ont côtoyé Micheline, dans le travail ou dans la vie, sont catégoriques : une main de fer sans le gant de velours. Déjà, physiquement, elle en impose. Une carrure de déménageur, des cuisses de matrone, une voix de sergent-major et le regard noir qui tue. Il vaut mieux ne pas s'amuser à lui marcher sur les pieds. Quand elle organise les soirées avec le comité des fêtes, cela marche à la baguette, et de fait, c'est réussi. L'organisation, elle connaît. C'est bien à cette qualité qu'elle doit son ascension dans l'équipe municipale. Elle a commencé par faire de la paperasse pour trois sous et maintenant, elle dirige le camping. Jamais les deux pieds dans le même sabot, elle a passé son permis de chauffeur poids lourds. Conduire un mastodonte ne lui fait pas peur et même, elle adore. Donc évidemment, soumettre son chétif mari est à côté un jeu d'enfants.

On raconte alors Micheline qui compte les sous quand Jean promène le chien, Micheline qui rêve de s'agrandir, d'être plus riche, plus importante dans le village, de construire un plus beau garage, tout pour que la vie soit plus grande, mieux, plus clinquante, quand Jean arrose les rosiers avec ses petits sabots en plastique. N'exagérons rien. Jean devait bien avoir ses travers, un coup de gueule de temps en temps, peut-être un peu trop renfermé pour être facile à vivre. Bref, il n'était peut-être pas un saint et il est vrai que c'est Micheline qui menait la barque, pas dans la mauvaise direction d'ailleurs.

Micheline est une propriétaire dans l'âme. Elle aime que les choses lui appartiennent. Leur pavillon, une petite merveille comme on en bâtissait dans les années soixante-dix, elle en est fière comme pas permis. Elle lui a d'ailleurs donné son surnom. Il est la preuve de leur réussite sociale, qui se dresse d'un blanc immaculé au bout d'une route de village.

Et si Micheline aime les signes extérieurs de richesse, elle aime aussi l'argent qui dort sur les comptes en banque. Suite à son héritage, elle s'est fâchée avec toute sa famille qui n'en dit pas que du bien. Et même du mal. Elle a essayé de récupérer de l'argent en douce, d'embrouiller un peu tout le monde. Ses frères et sœurs ont fini par ne plus voir cette semeuse de trouble.

Mais au fait, Jean avait bien dit qu'il voulait divorcer et vendre le pavillon ? Jean avait bien dit qu'il voulait prendre sa retraite ? Sûr que si c'est vrai, ça n'a pas dû lui faire plaisir à Micheline ! Peut-être même se sont-ils fâchés et que Jean, qui venait de tomber sur les comptes, était d'une sale humeur. Micheline dit que non, qu'elle n'est pas au courant de tous ces étranges discours de Jean les jours précédant sa mort.

Les enfants, Micheline aime les tenir comme on tient une maison, consciencieusement et d'une main ferme. Jean, en fait d'éducation, amuse sa progéniture. Quand les enfants étaient petits, il les promenait à l'avant de son gros camion. Ils adoraient ça. Ça épatait les copains : « D'accord, mon père, il n'est pas grand, mais le tien, il sait pas conduire les camions. » Et des fois, les enfants G. disaient aussi : « Ma mère m'a mis une de ces raclées avec le martinet ! » Explication : il fallait bien les tenir, ces huit gosses !

Quand les enfants sont devenus adultes, Micheline a mal supporté leurs crises d'indépendance. L'adolescence, pour une mère, c'est la dépossession. Sa fille Marie, elle l'a mise dehors parce que c'était une « traînée ». Disons qu'elle avait des petits amis, ce qui ne constitue pas un scandale à proprement parler. « C'est la seule que j'ai ratée, dira tendrement Micheline au procès, elle était menteuse. » Les fils, elle les a fait rompre avec leurs petites copines. Tout simplement. Le problème était réglé.

Les enquêteurs retrouvent les « victimes » petites amies en question qui ont une dent contre la mère de leur *ex-boy friend*. À force de râler tout le temps et de tout interdire, elles ont trouvé d'hypothétiques beaux-parents qui couvaient leurs amours autant que leur fils. Normal !

Et à ce propos, Valérie donne la véritable raison du départ de Pierre dans le sud. Il y avait une raison professionnelle, bien sûr. Mais surtout, Pierre ne voulait plus entendre sa mère. Entendre sa mère traiter sa femme de « pute », parce qu'en l'occurrence, Valérie était la femme de sa vie. De plus en plus intéressant…

Les fleurs de la tombe

À l'occasion d'un crime, ceux qui regrettent le défunt se portent partie civile. Bien évidemment, les sœurs, frères et Micheline ne se portent pas partie civile puisque la mort de la « brute » n'est pas à proprement parlé un drame pour eux. Mais pour Marie, la fille « congédiée » à dix huit ans, cela en est un. Elle est la seule de la famille à se constituer partie civile et naturellement la seule à aller se recueillir sur la tombe de son père. Elle achète des fleurs, évidemment. Et un jour, surprise ! Il n'y a plus de fleurs. Ni fleurs, ni couronne. Elle se renseigne auprès du gardien du cimetière qui reste évasif. Il n'a vu personne. Peut-être quelqu'un les a-t-il déplacées pour les mettre sur la tombe d'un des siens. On cherche. Rien ! Marie va porter plainte à la gendarmerie qui commence à comprendre la bonne ambiance familiale et ne met guère de temps a trouver le coupable : Micheline. Qui avoue. Et qui n'a aucun remords. Elle refuse catégoriquement de rembourser les fleurs à sa fille sous prétexte que Jean lui aurait dit : « Je t'enterrerai comme une chienne. » Comme Micheline elle même trouve son explication un peu légère, elle précise avoir le souvenir de Jean qui lui demandait à ne pas avoir de fleurs s'il venait à mourir. Un tel respect des vœux du défunt c'est admirable !

Enfin, la gendarmerie est là pour enquêter, pas pour avoir une opinion morale des divers agissements de Micheline. Et justement, les premiers rapports d'expertises font état de faits troublants. Ce couteau, retrouvé dans la mare de sang, n'est pas à une place très logique. Cette première balle tirée par Pierre, on s'aperçoit qu'elle ne laissait guère l'occasion au père de courir comme un lapin après eux. D'ailleurs, il courait vers la sortie avec un couteau alors que ses deux fils, à proximité de la porte, tenaient un fusil. Le rapport de force n'était pas vraiment en sa faveur. Ensuite, il était soi-disant ivre mort et on retrouve dans son estomac à l'autopsie l'équivalent de deux verres de vin. Pas énorme pour un alcoolique ! On interroge à nouveau les fils qui donnent des réponses évasives : « Il avait l'habitude de boire ; j'en ai déduit qu'il avait bu » ou « Il lui en fallait peu. » Soudain plus personne sûr de rien.

Monsieur le Juge

« Je vous écris pour dire la vérité et soulager ma conscience… » En septembre 1988, le juge d'instruction trouve une bien étrange lettre sur son bureau. C'est le début de la confession de Pierre qui demande à être réentendu. Pourquoi ce soudain retournement, ces « révélations » à faire, maintenant et pas à un autre moment ? Parce que l'épisode des fleurs, la séparation d'avec Valérie dont l'une des sœurs transmet aimablement des nouvelles sur le ton : « Évidemment qu'elle te trompe. Elle a vingt-deux ans. Tu ne crois pas qu'elle va attendre ta libération… », l'épreuve de la détention, son frère qui essaie de le charger alors que tous deux ont le même avocat, tout cela pèse sur une conscience qui n'a pour horizon que les murs d'une cellule.

Pierre a une toute autre version des faits à raconter au juge, une version que nous devons laisser au conditionnel puisque toutes les affirmations n'ont pas été validées par la justice. Quand il croise ses sœurs le soir du crime, ce n'est plus un regard d'encouragement qu'elles lui ont lancé mais carrément des phrases éloquentes : « Fais-le ; tue-le, vas-y. » Le soir, Pierre a trouvé le père énervé mais absolument pas ivre. Il faut dire qu'avec l'après-midi qu'il avait passé et sa découverte des papiers, il avait le droit de boire deux verres de vin et de se montrer franchement anxieux. Ce n'est jamais agréable de s'apercevoir après trente ans de mariage qu'on se fait allègrement rouler dans la farine par sa propre femme. Mais ça, Pierre ne le savait pas. Ensuite, selon la seconde version de Pierre, Hervé serait arrivé bien avant la première balle, aurait demandé où était le fusil et devant le père qui ne brandissait son couteau que pour couper une rondelle de saucisson, Pierre s'en serait emparé, comprenant qu'on lui donnait le signal, qu'on comptait sur lui pour « faire le boulot ». Mais là, croisant le regard de son père, il aurait tremblé et c'est Hervé qui aurait appuyé sur la détente. Ensuite, le père aurait fait quelques pas en titubant, pas menaçant du tout, et Hervé aurait tiré une deuxième balle, pour être bien sûr de le laisser mort.

Les deux frères seraient alors allés au camping où Hervé aurait clamé d'une voix joyeuse : « Ça y est, il l'a fait », devant les filles et la mère qui se tombaient de joie dans les bras, tandis que Valérie et Pierre étaient effondrés. Au camping, on attendait le sauveur qui connaissait ses dernières heures de liberté. Hervé n'était pas censé tirer. Il se serait laissé aller, contrairement à ce qui était prévu dans le scénario original qui aurait germé dans la tête de la mère. De retour auprès du corps, la mère aurait elle-même disposé le couteau près de la tête de son mari, trouvant la deuxième balle un peu excessive. Avec la menace antérieure du père, arme blanche en main, c'était moins « gros ».

Pierre aurait alors progressivement compris qu'on lui avait fait accomplir le geste qui n'était souhaité que parce qu'il y avait de la haine, et non un quotidien insupportable. Pierre se met d'ailleurs à décrire son père comme la victime de la mère depuis toujours. Il ne se souvient plus de coups, juste de colères sans danger, plus d'alcool, juste un verre au dîner. Il invoque son éloignement : à mille kilomètres de là, quand il revenait, il croyait ce qu'on lui disait. Si c'est une machination, elle est ignoble. Hervé maintient la première version des faits et confirme son geste : « Je l'ai fait pour la mère. » Mais, en se penchant sur la question, Hervé comme ses frères et sœurs dit : « C'est la mère qui nous a dit ça. » P'tit Jean n'étant plus là pour raconter, on commet une deuxième commission d'experts en balistique, pour au moins vérifier les affirmations pratiques.

Les experts réfutent la version de Pierre. Si Hervé avait appuyé sur la gâchette, la première balle aurait suivi une autre trajectoire. Seule la position du couteau, effectivement, apparaît peu vraisemblable. Comme le père était déjà blessé très grièvement, il aurait dû lâcher le couteau au milieu du couloir et non au bout. À quoi cela tient, la vérité ! Quelques mètres dans un couloir et c'est le doute qui se concrétise ! L'avocat de Pierre, puisque les deux meurtriers n'ont plus le même défenseur, demande une contre-expertise pour les tirs. Refusée. On en restera donc là.

Dans la version de Pierre, des choses ne tiennent pas debout. Notamment, cette idée selon laquelle Hervé appuierait sur la gâchette. Dans celle de Hervé également. Puisqu'il s'affolerait pour la vie de Pierre et la sienne en arrivant, alors que Pierre a déjà tiré. Bref. La vérité, certainement, se situe entre les deux. De la même manière que P'tit Jean devait n'être ni un saint ni un démon.

La psychologie ne permet pas davantage d'être affirmatif sur le déroulement du meurtre. Les experts en psychiatrie commis dans l'affaire G. ne peuvent que donner un coup de projecteur sur l'ombre de la vérité. Et non découvrir qui a tiré, et dans quel ordre. Mais leurs expertises sont éloquentes. Les personnalités de Pierre et de Hervé sont considérées comme équilibrées mais infantiles. En clair, Pierre rêvait de sauver sa mère, et Hervé, de la protéger — mieux que Jean ne le faisait. En tuant leur père, ils ont cru remplir une mission.

On a dit Micheline autoritaire et hantée par des rêves de puissance et de pouvoir. On a dit Pierre très influençable, prêt à tout pour se faire valoir et se montrer héroïque. On a dit Hervé mal positionné vis-à-vis de son père et sous la coupe de sa mère. C'est normal. Ce meurtrier-là n'avait que vingt ans.

Les larmes du procès

Au procès, tout le monde pleure. Pierre pleure parce qu'il raconte que sa mère ne l'a jamais aimé, comme Marie. Mais l'une n'a plus vu la mère et siège sur les bancs de la partie civile, l'autre revenait la voir et est devenu criminel. Ce sont les deux destins antagonistes des deux vilains petits canards de la famille. Micheline n'est plus allée au parloir voir son fils Pierre. Ses déclarations de dernière minute lui ont fortement déplu. Même si jamais, on le sait, cette mère n'a demandé qu'on tue son mari, elle n'a pas apprécié qu'on fasse peser le soupçon sur elle. Pierre pleure en racontant qu'au retour du camping, c'est Hervé que sa mère a pris dans les bras. Pas lui. Et que son père, en fait, était gentil.

Hervé, quand on lui demande pourquoi il a tué son père, ne répond pas « il buvait », « il battait la mère ». Pas du tout : l reste muet, devient livide et manque de s'évanouir au point que le président envisage de faire évacuer la salle.

Angélique, la plus petite qui avait seize ans au moment des faits, pleure aussi et dit : « Maman m'avait dit que si je ne disais pas comme elle, elle me mettrait dehors. » Son père lui manque.

Les frères se mettent à raconter les promenades en camion à côté de P'tit Jean.

Les sœurs pleurent sans rien dire. Elles ne savent pas pourquoi, ou ne veulent pas le dire, ou n'ont pas les mots. Aucune parole nesort. Juste des sanglots dans le micro.

Marie, seule sœur qui s'est constituée partie civile, raconte : « À la maison, la mère faisait la loi. Elle prenait les salaires de chacun et les enfermait dans ses tiroirs. »

En bref, entre les mots de Pierre plus ou moins validés, les silences d'Hervé, les révélations d'Angélique, les émotions des frères et les sanglots des sœurs, de ce procès des deux criminels, on fait le procès de la mère.

Quand le président de la cour d'assises demande à la mère où elle en est dans sa vie, Micheline répond : « J'habite toujours le pavillon et j'attends de toucher l'assurance-vie. » Ce n'était pas vraiment la question. Passons. On murmure dans le public et on se gratte le front chez les jurés. D'un air pensif.

Dans son réquisitoire, l'avocat général va jusqu'à traiter Micheline d'« Aggrippine rurale », cette ambitieuse des temps antiques qui manipula tout le monde.

Le 24 mars 1992, la cour d'assises a condamné Pierre et Hervé à quatorze ans de réclusion criminelle. Ils avaient vingt-quatre et vingt-huit ans au moment du procès. Ils avaient la vie devant eux.

• • • • •

Victimes de leur amour pour leur mère, victimes de leur crédulité ou de leur obéissance, Pierre et son frère se sont laissés prendre au jeu des apparences.

Leur mère, avec sa forte personnalité et ses exigences permanentes, faisait oublier ce père trop discret, si discret qu'on l'oubliait, si oublié qu'on l'a effacé du tableau familial.

Même si la vraie personnalité des protagonistes s'est partiellement révélée au procès, le mystère continue à planer sur le déroulement des faits. Pierre, menottes aux poignets, était le seul à proposer une version du drame. Marie, sur les bancs de la partie civile, n'avait pas assisté à la mise à mort. Tous les autres membres de la famille, après s'être enfermés dans le mensonge, se sont murés dans le mutisme, et le puzzle de la vérité dont chacun détenait probablement un morceau n'a jamais été constitué.

C'est ce qu'on peut appeler une famille unie, où chacun nourrit sa haine dans son coin mais où l'on continue à se serrer les coudes. Pierre, figure tragique du fils exilé dont on arme la main servile et Hervé, grand adolescent puéril, étaient les candidats idéaux pour se faire les exécuteurs d'une vieille rancœur collective, fût-elle aussi la leur.

Le procès de la mère, cette « Aggrippine rurale » a été fait en cour d'assises mais on ne saura jamais quels griefs précis imputer au père mystérieux. On reste, de toute façon, sur l'impression du dérapage criminel de deux grands immatures sous la coupe d'une mère despotique. Quelques années plus tôt, ils n'avaient pas l'idée de tuer. Quelques années plus tard, ils l'auraient perdue. Ils auraient appris à vivre, sans adorer ni haïr, sans tuer l'un pour sauver l'autre. Ces deux frères là n'avaient pas encore grandi. On ne leur en a pas laissé le temps.

Loin du pavillon propret de prime abord, de la famille unie par le pire, de la contrainte morale ou de l'irresponsabilité, nous arrivons dans une ferme boueuse où une mère sexagénaire et son fils quadragénaire se livrent aux cruels sévices, voire au meurtre, avec la parfaite conscience de leurs actes. Tous deux s'acharnent sur deux grabataires durant des années. En toute impunité. Jamais ils ne seront hantés par les remords ou les regrets. Voyage au pays de la barbarie organisée...

● ● ● ● ●

Jeanne
ou les liens du sang

En cette nuit de février 1989, la campagne meusienne est particulièrement peu accueillante. Au fond d'un petit vallon, un peu à l'écart du village, on voit de hautes flammes s'élever dans le ciel encore noir. Un ou deux voisins très matinaux laissent tomber d'une voix monocorde à leur épouse : « Tiens ! Encore la ferme des T. qui brûle ! »

C'est la quatrième fois que la grange prend feu. Ça prend vite un feu à la campagne. Ou alors, il suffit qu'une étincelle arrive sur un torchon, surtout en cette saison, avec le bois mouillé qui n'en finit pas de sécher, tellement l'atmosphère est saturée d'humidité. Il suffit d'un court-circuit dans la paille d'une écurie, et c'est la catastrophe assurée, la course aux assurances, une année d'exploitation fichue, ou presque. Ah ! La vie n'est pas facile !

Quand les pompiers arrivent sur les lieux à cinq heures trente du matin, le feu crépite depuis une bonne heure. Le corps de sapeurs-pompiers de la région n'est constitué que de volontaires. Dispersés dans les nombreux petits villages alentour, ils ont dû gagner la caserne à toute vitesse. Le temps de les réunir, de sauter dans le camion et de faire les dix kilomètres qui mènent au village, le feu s'est propagé. Mais surtout, Jeanne, la « patronne », a mis un certain temps avant de donner l'alerte. C'est normal : en pleine nuit, on dort. Ni elle, ni son fils Jean-Pierre ne se sont réveillés. Quant au fils de Jean-Pierre, Renaud, âgé de quinze ans, il dormait chez son copain Claude.

Dans la cour boueuse de la ferme, Jeanne et Jean-Pierre assistent à l'extinction du brasier les bras croisés. « Ah oui ! Juste un détail ! se souviennent-ils quand les pompiers pénètrent dans la grange dévastée, il y avait le Werner qui dormait dans la grange ! » Werner est le fils du défunt concubin de Jeanne.

Les pompiers retirent le corps calciné d'un homme d'une quarantaine d'années, allongé sur une sorte de paillasse faite de bottes de foins et de tissus informes : un vrai bûcher. Drôle d'endroit pour dormir, non ? La Jeanne hausse les épaules : « Ce garçon était un peu étrange. Tout le monde vous le dira. Comme la maison est toute petite, il avait décidé de se faire sa chambre ici. » Dans la grange. De fait, les pompiers aperçoivent les restes de ce qui a dû être une table de nuit et une gamelle, près d'une petite cheminée qui devait servir de chauffage. Le feu a dû partir de là. Encore une étincelle qui a atterri sur la paille !

La gendarmerie arrive un peu plus tard. Les gendarmes font les constatations d'usage, disent trois mots aux pompiers, comme on en échange entre corps de métier solidaires. Mais, tiens ! Où est Georgette, la mère de Renaud ? Elle n'est pas dans la cour. Jeanne et Jean-Pierre restent muets, comme embarrassés par la question. Ils tentent de faire diversion, prétendent qu'elle dort. Mais les gendarmes insistent pour la voir. Georgette est à l'écurie, comme d'habitude. Avec Jean-Pierre, ce n'est plus le grand amour depuis longtemps et sa femme fait « chambre à part », étable à part pour être plus précis. Les bêtes, ça tient chaud et ça fait de la compagnie. Les gendarmes sont un peu surpris.

En poussant la porte de l'étable, ils sont saisis à la gorge par l'odeur pestilentielle. Un être humain ne peut dignement dormir dans de telles conditions d'hygiène. En découvrant Georgette, recroquevillée dans son tablier, assise sur des bottes de paille, près des vaches, ils comprennent que depuis probablement des mois, la dignité ne fait plus vraiment partie de ses préoccupations principales. La préoccupation principale de Georgette, c'est survivre. Survivre aux plaies, aux hématomes, aux fractures et parvenir encore à déplacer son corps de trente-sept kilos pour un mètre soixante-cinq chaque matin. À l'aube. Pour la traite des vaches. Coûte que coûte. Elle n'a pas trente-huit ans mais elle est déjà plus usée qu'une très vieille dame.

Mais que se passe-t-il dans cette famille ? Georgette tente de parler mais elle n'en a pas la force. Les gendarmes n'entendent pas ses mots et le peu qu'ils entendent, dans un souffle, semble incohérent. Elle ne se souvient même plus de son nom. Hospitalisée d'urgence, les gendarmes n'en sauront pas plus le jour même. L'interrogatoire est vite interrompu. Georgette a juste eu la force de dire deux choses : elle veut divorcer ; elle ne veut pas retrouver ses bourreaux. À la fin du procès-verbal, l'inspecteur tape cette note sibylline : « En raison de son état de santé, le témoin n'a pu signer. » Une procédure est ouverte contre Jeanne et Jean-Pierre T., auteurs de coups et blessures volontaires. L'incendie, à présent, apparaît comme presque secondaire. Mais l'enquête ne fait que commencer.

Les mots de l'une...

Les gendarmes ont l'habitude de se rapprocher de la vérité au fil des interrogatoires. Des témoins parlent, se recoupent, et tout devient limpide. Au contraire, dans l'affaire T., plus les procès-verbaux d'audition de témoins se multiplient, plus le mystère s'épaissit. Appelés pour un classique incendie de campagne, ils vont de surprise en surprise. Jeanne et Jean-Pierre, bien sûr, n'ont rien à déclarer, à part qu'« elle est dure la vie de paysans » et que « ce feu tombe bien mal par les temps qui courent ».

Georgette, en revanche, devient dès le lendemain un témoin intéressant. Elle raconte, par bribes, ce qu'elle a toujours tu, parce qu'il est difficile de révéler sa vie quand on vit enfermée dans une étable, surveillée en permanence, dans une ferme enfoncée au fond d'un vallon. Pourtant, elle n'a ni haine ni volonté de vengeance au cœur, juste l'envie que le cauchemar cesse. Il durait depuis des années.

Aux gendarmes ahuris, Georgette raconte les coups de pieds, les coups de poings, les humiliations en tous genres et les « petites habitudes » de la maison. Chez les T., on craint « l'esprit frappeur ». L'esprit frappeur, c'est ainsi que Jeanne a baptisé le tuyau de la trayeuse avec lequel elle administre les punitions. Jeanne punit Georgette, parce qu'elle ne se lève pas assez vite à cinq heures le matin, parce qu'elle s'écroule de fatigue à une heure du matin sur le postérieur des vaches qu'elle trait.

Mais depuis six ans, Georgette est nourrie de café au lait, alors évidemment, elle n'a plus d'énergie ; Georgette n'a pas le droit d'allumer la lumière pour traire les vaches, alors naturellement, elle s'endort. Et les coups punitifs n'arrangent rien. Un jour, c'est la mère T. qui lui crève le tympan d'un coup de pied en pleine figure ; un autre, c'est Jean-Pierre, son propre mari, qui lui mutile un œil, ou la jambe.

Quant à Renaud, son propre fils, il laisse faire et balance une gifle de temps en temps. À quinze ans, Renaud n'a jamais vu sa mère vivre autre chose, alors…

Trois mois d'hospitalisation sont nécessaires pour ressusciter Georgette. Juste pour lui rendre la vie. Quant à son oreille qui n'entend plus, son œil qui ne voit plus, sa jambe qui ne la porte plus, on opérera, on réopérera, deux ans durant, mais certaines lésions sont irréversibles. Georgette restera handicapée. Pendant ce temps, l'instruction continue et sur son lit d'hôpital, Georgette répète, précise, confirme que cette vie de tortures a bien existé, en France, à la fin du XXe siècle.

« Et Werner ? » s'inquiètent les gendarmes. « Oh ! Werner ! soupire Georgette. Une bête de somme, lui aussi ! Tous les soirs enfermé dans sa grange ! » Pas dans la même que Georgette, au cas où leur viendrait l'idée de fomenter un complot contre leurs bourreaux. Mais depuis bien longtemps, Georgette et Werner n'ont plus ni la force physique de se révolter, ni la force morale de se plaindre. Ils n'ont plus l'espoir de sortir de l'enfer. Ils ont même cessé de pleurer. Leurs relations se résument à peu de choses. À rien. Comme Georgette est en « meilleur état » que Werner, elle est chargée de s'occuper de son linge. On lui interdit l'accès à l'eau et au savon alors elle se débrouille comme elle peut, dans la rigole de sa grange, là où les vaches font leur besoin, en utilisant le lait pour lessive. Le matin, elle nettoie la paillasse de Werner, qui n'a plus la force de se lever et fait sous lui, comme les vieux. Werner est mourant. Georgette épuisée.

Alors, quand ils se rencontrent par hasard dans la cour de la ferme, épiés depuis la fenêtre de la maison principale, ce n'est pas pour se dire merci. Ils ne se parlent même plus. C'est à peine s'ils se regardent. Leur destin commun ne les rapproche pas, ne les rassure pas. Entre esclaves, on ne sympathise pas ; on se croise.

Werner est enfermé depuis quinze ans dans sa grange. Jeanne et Jean-Pierre ont peur qu'il vole, ce « bon à rien » qui rôde aux abords de la cuisine en quête d'un quignon de pain ou d'une boîte d'allumettes pour s'éclairer la nuit. Jeanne a peur qu'il mette le feu. Juste avant l'incendie, Werner ne risque pas d'aller voler. Il ne peut plus marcher. Le matin, on le lève, à coup de trique, et on le pose là où il doit travailler.

Impossible que personne n'ait rien su, même si la ferme T. est située un peu à l'écart du village. C'est aussi ce que se disent les gendarmes.

... le silence des autres

Les gendarmes découvrent ce que Georgette ne sait pas, que Jean-Pierre a souscrit une assurance-vie sur la tête de sa femme et Jeanne sur celle de Werner, son beau-fils. Quoi de plus équitable dans la tête du tandem mère-fils ? Mais justement, à propos d'assurance-vie, Werner est mort...

L'enquête s'approfondit. Les trente-sept âmes que comptent le village sont interrogées. Stupeur : tout le monde savait. L'un déclare qu'on « entendait les cris parce que ça résonne du fond du vallon » ; l'autre qu'« on savait qu'ils étaient battus mais pas à ce point-là » ; le troisième qu'on lui avait dit mais qu'« il n'avait pas vu de ses propres yeux ». Beaucoup d'excuses pour ne pas alerter les autorités. Beaucoup d'excuses pour continuer à percevoir un peu d'argent T. à la saison de la cueillette des mirabelles quand la ferme a besoin de bras supplémentaires, pour récupérer un lapin gratuit un dimanche de Pâques, ou avoir le droit de couper un peu de bois dans l'exploitation avant l'hiver.

Jean-Pierre T., c'est un mètre quatre-vingt-quinze et quatre-vingt-quinze kilos de muscles et d'irascibilité. Qui s'y frotte se prend une raclée. Et le regrette amèrement. Quand à la mère Jeanne, elle a l'air toute douce, avec son sourire mielleux juché sur un mètre cinquante de silhouette toute fine, toujours fourrée à la messe du dimanche. Mais cette mamie de soixante-cinq ans, avec ses petits yeux malins, est bien capable de faire ses coups en douce.

Dès les premières auditions, les gendarmes se trouvent face à deux camps : ceux qui répondent aux questions consciencieusement et ceux qui les éludent. Dans le premier camp, on raconte avoir vu Werner voler un épi de maïs, au temps où il avait encore le droit de sortir. On dit lui avoir donné du pain ou une cigarette. On se souvient l'avoir croisé l'air terrorisé, avec des réactions de bête craintive. On explique l'avoir cru un peu simplet et ne pas avoir été surpris de sa disparition dans les rues du village. On dit que de toute façon, on n'a jamais su quel lien de parenté il avait avec les T. On se souvient l'avoir revu, parfois, dans la cour de la ferme, traîner se cacher dans une grange. Il était donc bizarre. Il était vivant. Rien à signaler.

Dans l'autre camp, on passe sur les faits en une minute : « Il y avait bien des cris, comme chez tout le monde. » Et l'on se lance dans l'encensement de la famille T. : « La ferme est dans la famille de Jeanne depuis l'arrière-arrière-grand-père. Ils ont toujours été travailleurs, pas regardant sur les heures de travail. Ils n'ont jamais eu de problèmes avec la justice, jamais fait de commérages sur quiconque. Ils ont travaillé dans leur coin et ce qu'ils ont aujourd'hui, cette grande exploitation qui les fait vivre — et de nos jours, c'est rare — ils l'ont méritée. Et puis ils ont fait travailler les gens du village… Tiens… Moi, par exemple ! » Comme par hasard, qui profite des T. n'a rien à dire sur les tortures, rien de précis. Tant que la tranquille petite famille T. est en liberté, mieux vaut se ranger à ses côtés. Un coup de fusil accidentel est si vite arrivé ! Georgette l'avait dit : « Allez poser des questions à celui-là. Mais je ne crois pas qu'il vous parlera. » Elle le savait.

Au village, on s'est donc tu, comme prévu. Chacun chez soi et les vaches seront bien gardées : telle est, *grosso modo*, la vulgaire devise des voisins. Et la non assistance à personne en danger est en revanche une notion juridique et morale qui reste abstraite dans l'esprit de tous ces témoins. Les gendarmes entendent de quoi poursuivre en justice à peu près tout le monde. Quelques-uns, plus maladroits que d'autres dans leurs déclarations, sont inquiétés, voire inculpés, mais après les quatre années que dure l'instruction ils bénéficieront d'un non-lieu. Concours de circonstances, responsabilité collective, la loi du silence a tellement bien fonctionné qu'il est difficile de déterminer qui savait quoi et pourquoi untel était plus coupable que son voisin de bourg.

Que dans la population villageoise, personne n'ait rien dit, c'est un manquement civique, une faute morale assurément, une culpabilité éventuellement. Mais si le corps médical s'était tu, il s'agirait d'une faute professionnelle grave.

Chez les T., on fait avec les hommes comme avec les bêtes. À la campagne, quand les bêtes sont malades, on fait le frais du vétérinaire en évaluant la rentabilité de l'opération. Si le « docteur » coûte moins cher que le service rendu, on l'appelle. Et « le Werner » peut encore servir, si on le soigne un peu. Jeanne a donc appelé un médecin. Georgette s'en souvient : il est venu trois jours avant l'incendie. Soit.

On retrouve le médecin : « Ah oui ! Il n'était pas bien. On me l'a amené à la cuisine dans une brouette » Le médecin l'a trouvé mal nourri, répugnant de saleté, pas vraiment tuméfié, puisqu'on a arrêté de le battre trop fort jusqu'à sa remise sur pied. Juste un petit coup de trique de temps en temps. « Et alors ? » demande la police au médecin. Alors, il a proposé l'hospitalisation mais Jeanne a refusé (à cause du prix) et elle avait l'air de si bien s'occuper de lui... Quant à Werner, il ne s'est pas plaint. Forcément ! Il ne parlait plus. Jeanne a expliqué qu'il était un petit peu débile. Le médecin est reparti, avec l'intention de repasser quelques jours plus tard prendre des nouvelles. Il serait repassé... si Werner n'était pas mort.

Dans la cuisine, le jour de la visite, il y avait aussi Mme H., la mère de Claude, chez qui dort précisément Renaud le soir de l'incendie. Elle est aussi la maîtresse de Jean-Pierre. Pour tout arranger. Pourquoi n'a-t-elle pas parlé au médecin ? Mais si ! Elle lui a fait les gros yeux d'un air entendu, mais il n'a rien compris. On trouve l'argument un peu léger. Et voilà deux inculpations supplémentaires : Mme H. et le médecin. Encore quelques mois d'enquête, quelques procès sévères, et la prison de Bar-le-Duc devrait regorger de coupables de non assistance à personne en danger dans la même affaire !

Autre médecin, autre négligence. Georgette a vu un médecin quelques mois plus tôt pour le coup de pied à l'œil. Jeanne l'a obligée à dire au médecin que c'était un coup de pied de vache. Message reçu. Le médecin dira : « C'est un accident qui arrive souvent à la campagne. »

En attendant, tout le monde est en liberté. Jeanne et Jean-Pierre sont inculpés mais pas encore incarcérés. Avec Werner au cimetière et Georgette à l'hôpital, les victimes sont en sécurité, et la mère et le fils ne représentent pas un danger pour la sécurité publique. Ceci dit, sans cynisme, c'est vrai : chez les T., on ne torture qu'en famille.

Le fils de Georgette, Renaud, est inculpé également par le juge d'instruction. Il sera jugé par le tribunal des mineurs. Tous trois reconnaissent les faits ; chacun y va de son argument laconique. Jeanne : « Je n'étais pas tendre, mais je ne l'étais pas non plus avec moi-même. J'avais assez de travail avec les bêtes. » C'est que Jeanne, effectivement, aime les bêtes. Les experts-psychiatres diront qu'elle a une affectivité qui s'est déplacée sur les animaux... au point que pour les êtres humains, il n'en reste plus une miette ! Au propre comme au figuré puisqu'elle fait cuire des œufs à son chien, quand deux personnes meurent de faim sous son toit.

Renaud dira de sa mère : « Elle était moins bien traitée que le chien. » Éloquent tableau pour une explication moins rationnelle de son comportement : « Ma mère, je l'ai toujours entendue crier ; je ne sais pas pourquoi je faisais ça. » Il ajoute, avec ce qui lui reste de candeur adolescente, si l'on peut dire, que ça ne devait pas être bien. Quant à Jean-Pierre, il s'en tire comme il peut lui aussi : « Je les frappais moins que ma mère. C'est elle qui m'y poussait. »

La blague

En attendant, chez les T., ces inculpations sont des moindres maux. On respire. Et on le dit. On demande à la sœur de Jeanne, qui vit au village, de ne pas trop s'étendre sur la vie à la ferme, et à la maîtresse de Jean-Pierre de ne pas trop parler de la veille de l'incendie. Pour taire quoi ? Que Jeanne a hurlé souvent à Werner : « Toi, je vais te faire griller comme un poulet ? » Que Renaud a été prié de dormir chez son copain ce 11 février 1989 ? Que Jeanne dit depuis : « Dommage que la Georgette soit pas restée avec le Werner dans l'incendie. » Des boutades, des détails. Sauf qu'à réception du rapport d'expertise, les T. cessent de respirer et que d'autres retiennent leur souffle. Sans rien savoir de très précis, certains détenaient de petites informations qui ressemblent à présent à de gros indices. On apprend que de l'essence a été répandue dans la grange, qu'il y avait deux foyers d'incendie, l'un à la porte, l'autre à la tête du lit de Werner. Étrange. Sachant que Werner était grabataire et enfermé à clé, le pauvre avait peu de chances de s'en sortir ! Ceci ajouté à l'assurance-vie, au fait que Werner n'était plus bon à rien, voilà de quoi se pencher d'encore plus près sur la saga familiale.

Le parquet dépose donc plainte contre X pour incendie criminel. On a bien envie de mettre des noms sous ce X-là, mais on est prudent. On décide d'exhumer le corps de Werner. Après deux mois sous terre, exhumer un corps calciné ne se fait pas sans présomption sérieuse. Une nouvelle autopsie et c'est le énième rebondissement. Nous sommes en avril 1989. Dans le sang de Werner, on découvre la présence d'alcool et de tranquillisants. Pourtant, Werner ne faisait plus la fête depuis longtemps et ne souffrait pas franchement d'insomnie.

Nouvelle batterie d'auditions de témoins, de mises en garde à vue, d'inculpations diverses. Nouveau tas de procès-verbaux. Nouveaux délais de procédure. Les gendarmes n'en peuvent plus. Les T., eux, tiennent bon. Ils s'interrogent le plus sincèrement du monde. C'est le gros mystère, le trou noir de la mémoire.

La police a du mal à reconstituer la soirée de la veille du drame. Renaud va au bal et dort chez un copain. Moins un. Jean-Pierre va se balader. Moins deux. Werner est immobilisé dans sa grange, et mort. Moins trois. Georgette et Jeanne traient les vaches jusqu'à une heure du matin, heure à laquelle la première regagne son écurie. Moins quatre. Reste Jeanne, la seule à savoir. Jeanne se couche et doit se réveiller à trois heures du matin, pour donner un médicament à Werner. Soi-disant. Toujours est-il qu'elle oublie de mettre le réveil et se réveille en sursaut à quatre heures. Quand elle voit les flammes, elle pense aussitôt : « Merde ! Le Werner ! » Pourquoi n'essaie-t-elle pas de sauver Werner ? Parce que « j'ai peur du feu ». Pourquoi prévient-elle son fils avant les pompiers ? L'instinct (maternel ?). Pourquoi pensent-ils tous les deux à ouvrir la porte aux bêtes et pas à Werner ? Le réflexe, l'instinct encore, qui joue des tours. Quant à Jean-Pierre, lui aussi a peur du feu. Et il est vrai que le feu a vite pris une ampleur inquiétante. Avec l'essence, ça aide. Mais quelles essence ? Quel alcool ? Quels tranquillisants ?

Le mystère reste entier jusqu'en novembre 1990. Jeanne et Jean-Pierre vivent toujours tous les deux. Georgette panse ses blessures morales et physiques dans le sud, chez des proches. Elle a obtenu le divorce, évidemment.

Un jour, Jeanne, pressée de questions, cernée par les témoignages, confondue par les multiples perquisitions, craque. Pas vraiment. Un peu. Elle se souvient d'une petite espièglerie faite la nuit du drame. Werner lui a demandé une cigarette. Elle a refusé. Pour qu'il ne mette pas le feu, ce grand nigaud. Là, il l'aurait insulté. Vu son état, qu'il veuille fumer, retrouve la parole et l'agressivité en un éclair est douteux. En tout cas, Jeanne a vu rouge. Et pour rire, elle a jeté le bidon d'essence de la tronçonneuse contre la porte. À la tête du lit, elle ne croit pas. C'était un moment de folie, une blague à quatre sous (qui aurait pu lui rapporter quelques milliers de francs). Finalement, après deux mois, elle ne sait plus rien du tout, ni sur les faits, ni sur la raison de ses débuts d'aveu. À part la peur du gendarme.

On ne tirera plus rien de personne, ni de Jeanne, ni de Jean-Pierre, ni de Renaud, ni des autres témoins. Qui sait quoi ? Qui a fait quoi ? Participé à quoi ? Activement ou passivement ? Tous les inculpés autres que les trois membres de la famille bénéficieront d'un non lieu ou d'un acquittement.

Pour l'homicide volontaire de Werner, Jeanne sera condamnée à treize ans de réclusion criminelle ; Jean-Pierre sera acquitté, son rôle n'étant absolument pas prouvé dans l'incendie.

Pour le calvaire de Georgette, ils sont condamnés chacun à dix ans de réclusion criminelle.

Renaud a été condamné par la cour d'assises des mineurs mais n'a pas fait de prison.

Grâce au système français de confusion des peines, Jeanne est condamnée à treize ans en totalité. Elle emporte son secret dans sa cellule.

Jeanne, un monstre ? comme l'ont titré les journaux. Comment expliquer alors que Jean-Pierre et Renaud aient été épargnés ? Jean-Pierre, un bourreau ? Mais comment expliquer son émouvant « j'ai essayé de donner à mon fils ce qui m'a toujours manqué » ? Et Renaud ? Est-on une brute sanguinaire à quinze ans ?

« Le Boche »

La clé du drame est en grande partie contenue dans la rencontre de Jeanne avec Léo, celui qui deviendra le père de Jean-Pierre. Déjà, Jeanne a eu beaucoup de déceptions. À l'école, elle découvre autre chose que les travaux des champs. Étudier, elle adorait. Surtout l'histoire et la géographie. Elle se voit bien enseigner, là-bas, à la ville. Elle a l'esprit vif, du courage, de la constance. Tout pour faire une bonne étudiante. À quatorze ans, son certificat d'études en poche, elle rêve à sa future vie, une vie où l'on s'ouvre aux autres, où l'on apprend, où l'on réfléchit à la chaleur du poêle l'hiver, dans l'odeur de l'encre et le bruit des pages tournées. Cela change de la bouse de vache et de la cour verglacée, d'une existence rythmée par les récoltes et les ensemencements. Cela change des parents qui ne vivent que dans et pour la ferme. Mais la mère de Jeanne ne l'entend pas de cette oreille. Elle lui dit : « T'es trop bête pour faire des études ; et puis c'est pour les gosses de riches. » Jeanne est malheureuse mais chez les T., on ne s'apitoie pas sur son sort ; les états d'âme aussi, c'est pour les riches.

À la fin de la guerre, le père de Jeanne meurt de la tuberculose. Comme chez les T., déjà, on ne donne pas dans les grands sentiments, c'est l'avenir de la ferme qui inquiète la mère de Jeanne. La sœur Louise a trouvé à se marier au village et deux femmes seules ne peuvent tenir une telle exploitation. C'est grand quarante-deux hectares ! Heureusement, « la Jeanne » a vingt ans. Si elle pouvait se marier à son tour, ce ne serait pas plus mal. Cela ferait un homme à la maison.

S'il venait vivre à la ferme, ce serait comme une dot. Mais Jeanne n'a pas vraiment le temps d'aller batifoler au bal du samedi soir et de toute façon, elle n'est « pas très portée sur la chose », selon ses propres aveux. La mère se renseigne. Un ouvrier agricole, c'est cher. Un prisonnier allemand, c'est de la main d'œuvre à bon marché. On lui envoie Léo.

Tout sépare Jeanne et Léo. Quand ils se croisent dans la cour de la ferme, elle a vingt ans, il en a quarante. Elle est libre. Il est prisonnier. Ce nouveau visage dans une vie familiale marquée par le deuil du père, le travail, et la solitude, ne change rien au quotidien de Jeanne. Mais ils sont à présent deux embarqués dans la même aventure, travailleurs sous les ordres d'une femme dure, condamnés à ne pas sortir de cette cour de ferme. Chacun est prisonnier, à sa façon. En 1946, au bout de quelques mois, la mère de Jeanne meurt d'un cancer, après trois mois de souffrance, de morphine, et de cris de douleur. Jeanne se retrouve avec pour avenir des champs qu'il faut toujours labourer, des arbres qu'il faut toujours tailler, des clapiers qu'il faut toujours nettoyer, des granges qu'il faut toujours retaper, des outils qu'il faut toujours réparer, le tout au fin fond de la campagne meusienne, sur un sol hostile, avec des hivers rigoureux. Alors Jeanne a peur : peur de cet avenir-là, peur de la solitude et même, elle le dit, peur du noir, des rôdeurs, des voleurs, peur du silence. La nuit, quand l'angoisse monte, elle entend encore les cris de sa mère qui déchirent le silence, pénible souvenir dont elle parle encore quarante ans plus tard.

À force d'avoir peur, de la vie comme de la mort, ce qui devait arriver arrive. Jeanne tombe « amoureuse », ou plutôt, elle s'attache, comme elle dit.

Léo a de larges épaules, le bon sens teuton, et même s'il est un peu flemmard, sa présence est rassurante, indispensable. À force de se réchauffer à lui le soir à la veillée, la suite arrive aussi. Jeanne tombe enceinte, une chose qu'avec son innocente virginité, elle n'avait pas prévue. À vingt et un an, elle a déjà derrière elle une vie douloureuse et pas beaucoup de tendresse. Rien, jamais, n'a été facile. Maintenant, elle entend bien mener une vie plus douce, entre un mari et cet enfant qu'elle porte, partager l'énorme poids de responsabilités qui lui pèse sur les épaules. Alors Léo promet le mariage, puis diffère, recule, hésite, reporte, diffère. Bref. Jeanne apprend avant son accouchement que ce bon Léo est marié en Allemagne, et qui plus est, père de cinq enfants : quatre d'un premier mariage soldé par un veuvage, un d'un second mariage toujours en cours. Si l'on peut dire...

Le fruit chéri de ses entrailles

Ce qui aurait pu être un conte de fées version paysanne avec vie à la ferme sur fond de succès agricole tourne à la sordide histoire du géniteur perfide et de la femme trahie. Jeanne réalise que Léo lui a fait cet enfant pour rester à Vaux-la-Grande. Elle réalise que Jean-Pierre, son fils, sera toujours un bâtard. L'union, déjà sacrilège de Jeanne et de Léo (parce qu'il était allemand), est condamnée à l'adultère (puisque Léo est marié). Ce scandaleux concubinage est rendu public aux yeux du village avec la naissance de Jean-Pierre. La ferme du fond du vallon est désormais décrite comme la résidence mystérieuse de la « fille-mère » et du « fils de Boche », un lieu dont on ne sait rien mais dont on se méfie. Dans la région de Verdun, les Allemands n'ont pas laissé un bon souvenir !

« Heureusement que ta mère est morte assez tôt pour ne pas voir ça », « Cet enfant ne fera jamais partie de la famille » : la position de la famille de Jeanne, sa tante maternelle entre autres, est claire et nette. Des phrases qui doivent être douces à entendre quand on a vingt ans, plus de parents, une sœur déjà casée, et un homme un peu traître. Jeanne va aimer son enfant encore plus, le chérir, l'adorer, lui qui ne lui a jamais rien fait et que tout le monde rejette. L'incarnation de l'innocence est maudite par tous ; Jeanne aussi. Entre le fils et la mère, l'union est scellée par cette même malédiction.

Jean-Pierre porte le nom de Jeanne. Pour la reconnaissance de paternité, Léo s'est défilé. Il est un T., un vrai, un pur, puisqu'il n'est l'enfant que d'elle seule, ou presque. Léo ne s'en occupe guère, pas plus qu'il ne se tue aux travaux de la ferme. Il préfère largement les filles du village. Jeanne ferme les yeux ; le devoir conjugal, elle aime autant que Léo l'accomplisse ailleurs. Sa vie, c'est son fils et sa ferme. La ferme de son père. Un père qu'elle a admiré, un père qui était plus intelligent que Léo, plus fort que Léo, plus efficace que Léo. Un père qui ne l'a jamais trahie. Du sang T., du vrai... comme Jean-Pierre.

Jeanne aime le fruit de ses entrailles et les personnes qui sont de son sang. Un mauvais départ pour servir de mère adoptive. Mais en 1949, la seconde femme de Léo, qui élevait ses quatre enfants du premier mariage, meurt. Quoi de plus logique que de rapatrier cette progéniture à la troisième, celle qui ne sera jamais épousée : Jeanne. Elle a vingt-quatre ans, son fils Jean-Pierre, et maintenant, quatre enfants entre neuf et dix-huit ans, qu'il va falloir nourrir. Et comprendre, puisqu'ils parlent allemand. Sans compter ce fardeau de Léo, un adulte plus fainéant qu'un adolescent ! Le temps de s'habituer à la vie de famille nombreuse et en 1952, Werner, le cinquième enfant qui avait été placé à l'Assistance publique pour d'obscures raisons débarque à son tour. Jeanne le prend tout de suite en grippe. Il y a des limites ! Ce petit vaurien chétif a neuf ans ; Jean-Pierre cinq. Jeanne veille à ce que son fils ait ce qu'il y a de mieux, de plus beau, de plus agréable, ce qui est tout de même beaucoup dire, vu le quotidien au village. « La vie, c'était marche ou crève », dira l'un des fils de Léo au moment de l'enquête.

Tout ce petit monde pousse sans qu'il n'y ait rien à signaler, ou presque. Jeanne ne s'attache guère aux pièces rapportées, sauf à Simon qui se comporte en grand frère à l'égard de Jean-Pierre. Il est bien gentil, bien obéissant, fabrique des cerfs-volants et des jouets au fils T. Mais dix ans après son arrivée, quand Jeanne a bien eu le temps de s'attacher, le sort s'acharne encore sur elle. Simon meurt, à dix-neuf ans, emporté par la tuberculose, la maladie dont le père de Jeanne est mort. Ce n'est pas Léo qui va la consoler, la Jeanne. Plus ça va, plus il est nerveux. Il balance une claque à droite à gauche, punit à la trique et estimant son rôle de père accompli, repart culbuter quelque innocente sur une botte de foin.

Simon était le plus jeune. Les autres avaient quitté la maison et volaient de leurs propres ailes, sans revenir au bercail, bien entendu. Jeanne n'a plus que deux enfants : Jean-Pierre et Werner. Werner est un enfant difficile, chapardeur et lent à la besogne. Jean-Pierre est un solide garçon qui va vite prendre le dessus. Il en a des revanches à prendre. Après tout, s'il est « fils de boche », c'est à cause du père de celui-là. Il ne pouvait pas se le garder en Allemagne son père ? Et s'ils repartaient tous les deux ? Il aurait maman pour lui tout seul. Werner devient le symbole du malheur des T. À la maison, Jean-Pierre humilie Werner comme il est lui-même humilié au village, regardé de travers. Et Werner courbe l'échine, patiemment. Il devient l'esclave. Jeanne et Jean-Pierre le baptisent du doux nom d'« évacuateur de fumier », la seule activité dont on l'estime capable. Léo passe ses nerfs dessus, allant jusqu'à le pendre par les pieds dans l'étable avec la tête dans une bassine d'eau, histoire qu'il n'ait aucune chance de s'en sortir. Autant l'enfermer impotent dans une grange et mettre le feu à son lit, pendant qu'on y est ! Jeanne le dépend. Manquerait plus qu'on voit arriver la police à la ferme !

Enfin ! Pour ce qui est de la violence, la mère et le fils ont été à bonne école ! Au fur et à mesure que Jean-Pierre se transforme en beau gaillard, Werner s'étiole. Le colosse (un mètre quatre-vingt-quinze) et l'avorton (un mètre soixante-deux) ne se font rapidement plus concurrence. C'était déjà clair dans la tête de Jeanne : le plus faible sera le serviteur du plus fort.

La mort de Léo en 1967 soude définitivement le couple mère-fils. Léo n'empêchait pas la haine mais il était symboliquement l'homme de la maison. Le jour où il tombe de son tracteur, on ne pleure pas beaucoup à la maison. Werner continue à évacuer le fumier et Jean-Pierre termine son service militaire. Une révélation ce service militaire : les armes, la discipline, la rigueur fascinent Jean-Pierre. Par un congénital glissement du sens, il confond armée et dictature. Léo s'était tout de même engagé dans la Wehrmacht avant même le début de la guerre ! L'histoire nazie passionne Jean-Pierre au point que vingt ans plus tard, la police retrouve à la ferme une belle collection de cassettes vidéo pirates de propagande nazie, bien rangée en dessous du Christ crucifié ! Chez les T., on donne dans le mélange des genres et ce n'est pas toujours de bon goût. La croix gammée est dessinée jusque sur le clapier à lapins, au milieu de la cour.

L'intruse

À la mort de Léo, Jeanne est prise de la même angoisse que sa mère : qui va tenir cette ferme ? Pas Werner, cette frêle créature renfermée et éternellement faiblarde. Qui, alors ? Jean-Pierre rentre du service. Il a vingt ans, pas de femme, pas d'attache, pas de vocation particulière. « Et si tu restais ? » Jean-Pierre reste. Pour aider. Comme Léo, exactement vingt ans plus tôt. Seulement Léo est devenu un amant. Jean-Pierre, ce sera plus difficile. Jeanne est très dirigiste. Jean-Pierre obéit. Après tout, c'est un enfant. Trois ans s'écoulent. Werner évacue toujours le fumier. Jeanne aime toujours Jean-Pierre.

Mais Jean-Pierre la trahit. Il rencontre une jeune fille à un mariage de cousins dans le sud de la France. Loin de sa mère, Jean-Pierre se laisse aller à regarder Georgette : elle est jolie, un peu eurasienne, douce. L'arrière-grand-mère de Georgette était la demi-sœur de la grand-mère de la mère de Jeanne. Une parenté rassurante… Échange de lettres, bague offerte, visites en Provence, quelques mois s'écoulent dans la perspective d'une union. Jusqu'à ce que Georgette apprenne que Jean-Pierre, les soirs de bal, la trompe à tour de bras. Elle envoie une lettre de rupture. Jean-Pierre se repent. Georgette pardonne, vient au village. Jean-Pierre lui fait visiter la propriété. Le mariage est décidé.

Jeanne n'a pas donné son avis jusque-là mais l'affaire devient sérieuse. Si Jean-Pierre allait vivre dans le sud, ce serait le drame. Il la rassure. Mais Jeanne continue à mal voir ce mariage. C'est tout de même son fils. Elle imagine mal la vie avec cet idiot de Werner pour interlocuteur principal et une fille qui couche avec son fils sous son toit. À la ferme, on est là pour travailler, pas pour vivre des histoires d'amour. Et puis cela fait longtemps que Jeanne est le seul jupon à traverser la cour. On s'y fait à être patronne ! Jeanne ravale sa rancœur et refuse d'aller au mariage, qui ne se fait pas au village. Un comble ! Pour une fois que les T. pouvaient faire comme tout le monde ! Un vrai mariage à l'église du village, après cette fâcheuse vie entre « le Boche » et les enfants parachutés, ça vous posait une réputation.

Jean-Pierre installe Georgette dans une maison du bourg mais ce n'est guère pratique. Jour et nuit,

Jeanne a besoin de bras à la ferme. À force de faire des allées et venues, après quelques mois, Jean-Pierre et Georgette s'installent à la ferme. Jeanne hait Georgette de toutes ses forces. Elle l'accuse de ne pas faire le ménage, de ne pas savoir faire à manger, de retarder les travaux agricoles par sa lenteur. Le pire arrive en 1972 : Georgette tombe enceinte. Inévitablement, aux yeux de Jeanne, elle sera une mauvaise mère. Jeanne accapare littéralement l'enfant dès la naissance. Elle, elle sait y faire avec les enfants. Elle l'a prouvé puisqu'elle a eu Jean-Pierre. Comble du bonheur, l'enfant, le fils de son fils, est un garçon. Jeanne l'idolâtre, le couve, l'élève à l'écart de Georgette. Jean-Pierre laisse faire.

Georgette, elle, n'a pas le choix. Sa belle-mère la tyrannise, l'exclut, l'esclavagise. Georgette se plaint au village. Tout le monde s'en fiche. Si Jean-Pierre et Jeanne savaient cela, le régime à la ferme pourrait se durcir encore. D'autant que Georgette entend bien les cris de Werner qui a « élu domicile » dans la grange puisqu'il n'y a que deux pièces dans la maison. Des cris pareils calment les envies de rébellion. Georgette va un jour à la police. Mais quand on lui demande qui est battu, où sont les traces et qui porte plainte, elle ne sait pas trop quoi dire. À plusieurs reprises, Georgette s'échappe. Jean-Pierre la retrouve, à quinze kilomètres ou en Provence, mais il la retrouve et la ramène, *manu militari* ou avec des promesses. On finit par lui administrer quelques claques, puis quelques coups, surtout Jeanne au départ. Jean-Pierre tempère. Puis ferme les yeux. Puis participe.

« Quand mon père voyait ma grand-mère frapper ma mère, c'est comme si ça l'excitait », dira innocemment Renaud. Comme le mettront en évidence les experts-psychiatres, l'ambiance est incestueuse. On ne s'aime, chez les T., que quand on est du même sang. Dans ce cas-là, on s'accorde sur tout, même sur la torture. Jean-Pierre vit sous la coupe de sa mère, lui obéit en tout. Renaud suit le même chemin. Élevé dans la haine de Georgette depuis sa plus tendre enfance, il se met à lui administrer quelques corrections dès ses douze ans.

Un bruit de fond qui montait du vallon

C'est peu avant cette époque que Jean-Pierre prend une maîtresse attitrée, la fameuse Mme H., la mère du copain Claude. « Elle m'a fait découvrir autre chose », déclarera-t-il. On ne saura jamais quoi. Mais elle, en revanche, se souvient d'une chose qu'elle a découverte avec Jean-Pierre : quelques heures attachée à un arbre et battue avec ses talons aiguilles... Ruptures-réconciliations-ruptures, au moment des faits criminels, on y est encore pour des raisons qui nous échappent. Amorce d'explication au village : les mauvaises langues affirment qu'elle a la cuisse légère et parfois onéreuse... L'argent fait parfois pardonner bien des choses. L'existence de cette maîtresse régulière, car il y en a d'autres, n'arrange pas les affaires de Georgette. Jean-Pierre ne peut plus servir de bouclier, même épisodique, entre sa mère et sa femme. Il est de moins en moins présent et s'en fiche de plus en plus.

Georgette est définitivement reléguée à la grange puisque Jean-Pierre considère qu'elle n'est même plus bonne à « ça ». Il a d'autres chats à fouetter, façon de parler, et il ne veut plus d'autre enfant. Il fait avorter deux fois sa femme, contre son gré, après l'avoir rattrapée parce qu'elle avait fugué. Pour régler les deux problèmes à la fois, Jeanne et son fils lui interdisent de quitter la ferme et Jean-Pierre lui fait ligaturer les trompes, contre son gré bien entendu, par pur sadisme puisqu'ils ne partagent plus le même lit. À l'hôpital Georgette parle à l'infirmière, au médecin, dit qu'elle ne veut pas, qu'elle a peur qu'on la tue, qu'on la batte encore, peur de tout. Au moment de l'enquête, tous ceux qui ont reçu les confidences de Georgette à ce moment-là ont un trou de mémoire.

Jeanne aussi y va de ses petites fantaisies sadiques. Elle décide de faire passer Werner pour débile. La pension d'handicapé versée à Jeanne est le salaire de la peur de Werner : « Si tu ne joues pas les débiles, on te tue. » Werner est bilingue, pas débile, mais il tient à la vie, et obéit. Tant qu'il rapporte financièrement, on la lui laisse. Mais s'il devait bêtement mourir dans un accident, ce serait bien que sa mort rapporte aussi. Alors Jeanne pense à l'assurance-vie.

À partir du milieu des années quatre-vingt jusqu'à 1989, date de l'incendie, cette vie continue. Jeanne mène son petit monde à la baguette, au propre comme au figuré. Jean-Pierre passe ses nerfs quand il en a besoin, sur Georgette ou sur Werner, quand ses maîtresses ont été peu dociles. Renaud assiste à ces scènes si coutumières, sans réaction particulière, à part une claque à sa mère de temps en temps. Les voisins entendent des cris, ces bruits si continus et si habituels « chez tout le monde » que ça fait comme un bruit de fond qui parvient du fond du vallon. Bref, à la ferme T., on torture si tranquillement que cette vie-là pourrait durer vingt ans. « Alors que la famille sait, que le village sait, comment vouliez-vous que cesse cette spirale de la violence ? » demandera Me Hechinger, l'avocat de Jean-Pierre, en cour d'assises.

« Une roue qui tourne »

La spirale de violence cesse parce que Jeanne n'en peut plus. Elle a soixante-cinq ans. Elle travaille comme une bête depuis ses quatorze ans. Elle martyrise à tour de bras depuis des années. Un bourreau de travail. Et du reste ! Tous les jours, la vie se ressemble. Elle fait une sorte de dépression, de celles qu'on fait à la campagne, qui n'empêchent pas de travailler parce qu'on n'a pas le choix mais qui rendent las de tout. Elle se met au vin rouge. Pour oublier son enfer à elle, sa vie. Sans succès. Elle a du mal à tenir l'exploitation parce que réellement, c'est épuisant. Et ces deux imbéciles en si mauvaise santé qui en font de moins en moins ! Ils n'ont même plus la force de résister aux coups ! Si ça continue, ils ne vont pas tarder à mourir. Pour qu'ils vivent, il faudrait appeler des médecins, les envoyer à l'hôpital. Werner, allongé depuis trois semaines, est le plus mal en point. C'est normal. Une vie pareille depuis l'enfance vous use un homme rapidement. Le médecin sape définitivement le moral de Jeanne. Si cela doit coûter si cher, autant toucher l'assurance-vie. Elle aura fait des efforts jusqu'au bout pour le garder, ce « fils de Boche » qui n'est pas un T. Et puis, si Werner meurt, Jean-Pierre fermera les yeux. Pour Georgette, la mesure définitive peut attendre puisqu'elle tient encore debout. Quant à Renaud, s'il dort chez un copain, le fils de la maîtresse de Jean-Pierre en plus, la voie est libre. Pour tuer Werner. Mais Jeanne la patronne, Jeanne la dominatrice, Jeanne qui prenait sa revanche sur quarante ans de vie soumise, est allée trop loin. Elle a fait venir les gendarmes dans un lieu où la vie ne pouvait continuer qu'à huis clos.

Les experts-psychiatres l'ont déclaré perverse, sadique, machiavélique et dangereuse. Jeanne a haussé les épaules. Elle n'a pas tout compris et n'a pas vu le rapport avec les travaux des champs. Avec ses mots, elle a expliqué sa vie qui était toujours pareille et qui ne lui laissait pas le temps de réfléchir : « J'étais comme une roue qui tourne. » Et elle s'estime bien plus heureuse en prison. La liberté, avec dix-huit heures de travail par jour, n'est pas une grosse perte. La seule chose qu'elle regrette, c'est la ferme de son père et les êtres qui sont de son sang.

Quant à Jean-Pierre, on l'a dit complètement sous l'emprise de sa mère, immature. On a dit qu'il avait peur d'elle. Jean-Pierre n'a pas su quoi répondre. À part qu'il n'avait pas pu laisser sa mère s'occuper de la ferme toute seule, et qu'après, tout s'était enchaîné. Comme l'ombre d'une roue qui tourne…

● ● ● ● ●

Jeanne et Jean-Pierre ne savaient pas donner. Ils n'avaient ni connu, ni appris la générosité, l'amour, l'affection, au point même d'oublier ce que signifie la souffrance d'autrui. Enfermés au creux de leur vallon, ils n'ont pour véritable intérêt que les feuilles de compte de l'exploitation agricole, les chiffres, ceux de la banque, des factures, des traites, de l'assurance-vie.

Les seules intrusions du monde extérieur, ces visites épisodiques des habitants du village, se font pour des raisons mercantiles, à moins que ce ne soient les médecins pour des raisons finalement moins médicales que mercantiles elles aussi : combien vont coûter les victimes ? Combien vont-elles rapporter ?

L'isolement géographique et humain des « bourreaux » sert leur isolement psychologique, leur autisme des sentiments. Eux-mêmes ne se confient pas, ne s'observent pas, ne s'écoutent pas, ne se plaignent pas. Personne ne les plaint non plus. Au village, on parle de leur ferme en chiffres ; on oublie les vies, comme si les êtres étaient des machines. Et l'existence est machinale, la torture est machinale. Il n'y a plus l'ombre d'un jugement au fond du vallon.

Spirale, roue qui tourne, engrenage, toutes ces images sont fidèles à la réalité d'une vie qui n'a pas de relief, pas de reflet, pas de miroir.

Jean-Pierre est fasciné par la discipline et se laisse d'autant plus aller à soumettre les autres qu'il trouve naturel d'être lui-même soumis à sa mère. Jeanne aime le pouvoir et l'exerce sur tous. Le duo était en parfaite harmonie. Ils se sont laissés emporter d'autant plus volontiers dans leur folie conjointe qu'ils se livraient à leur défoulement impunément. Ils avaient érigé la torture en distraction. Elle est devenue monotone.

Jamais leur conscience ne les a rappelé à l'ordre, amputée qu'elle était par les angoisses, les névroses, les carences affectives et le labeur quotidien. Jamais la conscience des autres, aveugles, muets, ou hantés par la peur de représailles, n'est venue réveiller la leur. Jeanne et Jean-Pierre ne ressentaient pas grand-chose. On ne souffre pas de la douleur des autres quand on est soi-même intérieurement déjà mort. On ne souffre pas davantage d'être puni quand la vie, depuis toujours et par un sinistre acharnement du sort, ressemble à une vaste punition.

De l'amour, de la générosité, de l'affection, Marie savait en témoigner. De la culpabilité, elle en était remplie. Son âme toute entière était tournée vers les autres, et plus encore vers ses enfants. Toujours perdue dans ses pensées, toujours réfléchissant, analysant, corrigeant ses erreurs et prévoyant ses bonnes actions, elle était une femme modèle et une mère exemplaire. Et si Marie, un jour, tue ce qu'elle a de plus cher au monde, l'un de ses fils, c'est justement à cause de ce trop-plein des sentiments. Elle n'avait ni haine, ni cruauté au cœur, juste ce grand amour qui la poignardait tout aussi sûrement.

• • • • •

Marie,
la mère trop aimante

Dans une abbaye du nord de la France, convertie en maison d'habitation, gît un jeune homme de vingt-quatre ans, mort dans son lit d'une balle de revolver. Ce n'est pas le début d'un roman d'Agatha Christie ; l'identité du meurtrier n'a jamais été mystérieuse. Il a lui-même appelé la gendarmerie pour dénoncer son geste. Elle-même, devrait-on dire, puisqu'il s'agit d'une femme. Puisqu'il s'agit de la propre mère de la victime.

Rien ne laissait prévoir ce drame survenu un 14 juillet, un jour de fête pourtant, dans une famille unie et respectable. Et l'interrogatoire des proches, des voisins, des amis, des employeurs, ne donnera rien de plus. Pas de haine larvée, de colère rentrée, de différend ancien dans cette famille-là. Rien. Les deux petits frères de la victime eux-mêmes ne s'expliquent pas le geste de leur mère, qui pleure, effondrée de douleur, le décès de cet enfant qu'elle aimait le plus sincèrement du monde. Non, vraiment, tout allait bien.

Une famille modèle

Marie épouse Michel en 1962. Il est pépiniériste ; elle décide de se consacrer à l'éducation des enfants. Presque trente ans plus tard, rien n'a changé. Michel fait le même métier ; Marie est toujours une mère très attentive. Le couple ne s'est pas désuni, n'a pas déménagé. Ce n'est pas une famille qui s'est décomposée à force de se recomposer à la hâte, avec des beaux-pères et des belles-mères en pagaille, des enfants de plusieurs lits différents qui connaissent à peine leurs demi-sœurs ou les enfants de leurs beaux pères. En bref, on a mené chez les F. une vie dite « normale ».

Leurs trois fils naissent en 1967, 1968 et 1970. Marie est une mère un peu plus inquiète que les autres, plus attentive, plus angoissée. Normal ! Ses trois fils ont des problèmes de santé dès leur plus jeune âge. On opère un rein à celui-ci, un rein à celui-là et Marie passe beaucoup de temps chez les médecins, les spécialistes, dans les salles d'attente des blocs opératoires, sur les routes de campagne qui mènent à l'hôpital le plus proche. C'est beaucoup de temps, et surtout beaucoup d'angoisse. Elle est angoissée pour tout d'ailleurs. Pour la santé mais aussi pour les études. Présente à toutes les réunions avec les enseignants, à tous les conseils de classe, elle aide ses fils à faire leurs devoirs. Elle les laisse aussi s'amuser, organise les fêtes d'école, tient les tombolas. Michel, son mari, essaie de modérer cette activité frénétique : « Repose-toi, prends le temps de t'occuper de toi. » Mais s'occuper d'elle n'intéresse pas Marie. Ce qui l'intéresse, c'est donner son temps à ses enfants, leur donner tout. Et Marie tient bon. Elle a bien le cafard de temps en temps, mais cela lui fait tellement plaisir de voir ses efforts récompensés.

Les trois fils grandissent harmonieusement, ne sont ni trop sages, ni pas assez, sont bons élèves, sans être des chiens savants. Elle essaie de les rendre autonomes, de les pousser à s'épanouir hors du giron maternel, parce qu'elle sait bien qu'elle se laisserait facilement aller à être « mère poule ». D'ailleurs, Damien, le fils aîné, est toujours dans ses jupes, dépendant comme on ne devrait pas l'être à douze ans. Mais il n'a pas eu une vie tout à fait habituelle. Il a eu des problèmes de santé plus fréquents que d'ordinaire. À cause d'un problème de reins, il a vécu des semaines et des semaines d'hospitalisation au milieu des blouses blanches, dès son plus jeune âge. Alors, quand il rentrait à la maison, Marie s'occupait doublement de lui, pour lui faire oublier ces sales moments où il s'ennuyait de ses frères, mangeait des « jambon-purée » à tous les repas, devait avaler des médicaments à longueur de temps, et attendre des jours la cicatrisation de ses opérations avant de retourner cavaler dans le jardin.

Ce n'est pas facile pour un petit garçon. Ni pour sa mère. Quand on la croisait au village, elle avait l'air parfois bien triste et elle disait : « C'est encore Damien. Encore le rein ! » On la plaignait cette pauvre Madame F. qui se dévouait, qui se battait contre la maladie comme contre un fantôme. Parce qu'on a beau être courageux, les problèmes de santé, on ne peut pas les éviter. Quand Damien a commencé à aller mieux, Marie a continué à s'inquiéter pour lui. Plus que pour les autres. Ses deux frères disaient souvent à leur mère : « C'est Damien que tu préfères. Tu l'aimes plus que nous. » Tout le monde disait un peu ça d'ailleurs, de façon plus discrète mais enfin, « il fallait le détacher », comme on lui disait. En bonne mère, Marie a écouté les conseils prudents et s'est fait une raison : Damien ira à l'internat du lycée de la ville d'à côté. Après tout, ce n'est pas si loin.

Là-bas, la vie se passe bien. Damien commence à se passionner pour le basket. Il se fait de bons copains dans l'équipe. De temps en temps, il leur dit : « Ah bah le panier, là, je l'ai raté. Tu sais, c'est mon rein qui me crève ! » Pour un malade, les copains le trouvent plutôt en bonne santé ! Le week-end, il rentre voir ses frères et ses amis restés sur place. Il révise son bac entre deux sorties en discothèque et deux rendez-vous chez le médecin, puisque, toujours, il a son problème de rein. Mais à dix-huit ans, on sait Damien définitivement « tiré d'affaire », et Marie commence à retrouver un peu de sérénité.

Michel est plus tranquille aussi. Pour sa femme, mais aussi pour son fils parce que Michel a beau être plus désinvolte que son épouse, il se faisait du souci quand même. Avec Damien, le week-end, ils vont souvent se balader et ont plein de choses à se dire. Damien adore la nature et Michel est bon guide puisqu'il connaît toutes les espèces de végétaux par cœur. Alors Damien suit un peu les traces de son père et obtient un B.T.S. de botanique. Ils travaillent même ensemble un petit moment, dans la même entreprise. Puis, Damien décide de voler de ses propres ailes.

À l'automne 1990, les deux fils cadets quittent la maison familiale. Damien, lui, cherche un emploi. Deux fils en moins, pour une maman qui consacrait tout son temps à ses enfants, cela fait un grand vide. Mais il faut se faire une raison : ils ont vingt ans déjà. Marie n'a pas vu le temps passer. Heureusement, Damien est là. Cela arrange la mère autant que le fils, pour des raisons différentes, puisque Elise, la petite amie de Damien depuis un an, habite dans le village d'à côté. Quand Damien trouve du travail dans l'Est, il est un peu déçu. C'est loin, l'Est, du Nord. Il ne voit plus Elise que le week-end. Ils vont au café, voient souvent Thierry, le meilleur copain de Damien.

Thierry est le voisin de Damien depuis des années et ils ont le même âge. Ils ont grandi ensemble, tout partagé, depuis la marelle jusqu'aux premiers flirts. Maintenant, avec leurs vingt-trois ans, ils sont toute une bande de jeunes, à écouter de la musique le samedi après-midi, aller en boîte le samedi soir et se raconter la soirée de la veille le dimanche en buvant des cafés ou des bières. Bref ! La vie classique des jeunes de province ! Pour « planer » un peu, on abuse bien du whisky-coca les soirs de grande bringue, mais rien de grave. Il règne vraiment un « bon esprit » chez ces jeunes-là. Tout sauf des délinquants. Plutôt des insouciants guillerets.

Quand Thierry trouve la mort, un jour de juillet 1990, sur une mobylette, le moral de cette belle jeunesse en prend un coup. Damien a vingt-trois ans. Jusque-là, c'était la grosse rigolade et ce drame-là jette brusquement tout le monde sans prévenir dans l'âge adulte. Chacun s'en remet tout doucement, évite d'en parler. Cela fait trop mal. Mais Damien, lui, a bien plus mal que les autres. C'était un peu son frère, Thierry, le vieux copain en qui on a confiance pour la vie et qu'on croiserait dans quinze ans en lui donnant une grande bourrade dans le dos comme si, avant, c'était hier. D'ailleurs, Damien est tellement bouleversé que deux fois de suite dans l'année qui suit, il se retrouve dans le décor en voiture. La première fois, c'était une semaine après la mort de Thierry. Comme s'il allait suivre les traces de son copain. Comme si le destin l'appelait là, lui aussi.

Le destin d'une mère

Mais Damien a forcé le destin. Damien a voulu mourir. Damien veut encore mourir. Et ça, personne ne le sait. Ni ses copains, ni ses frères, ni les autres membres de la famille. Personne sauf Elise. Mais Elise pense que Damien veut rejoindre son ami dans la mort. Personne sauf son père et sa mère. Et son père et sa mère, eux, savent pourquoi Damien veut mourir.

Non, Damien n'est pas atteint d'une maladie incurable. Il n'a presque rien à vrai dire. Juste une malformation congénitale. Il y avait le rein, c'est vrai. Mais il y a eu aussi les testicules et c'est une chose que l'on ne dit à personne. À quatre ans, les médecins ont découvert que rien n'était normal : d'un côté une absence de testicule pure et simple, de l'autre une anomalie. La science a fait ce qu'elle a pu pour forcer la nature. Damien a subi plusieurs opérations. En vain. À quatorze ans, on lui a mis des prothèses pour qu'il ne se sente pas gêné vis-à-vis de ses copains, au moment de la douche après le basket. La vérité est devenue insoupçonnable. Et puis, il peut faire l'amour, les médecins lui ont dit. Simplement, il ne pourra pas avoir d'enfants. Pour l'instant, ce n'est pas vraiment son problème. Alors où est le problème ? Pourquoi Damien veut mourir à présent ? Pourquoi Marie était-elle si inquiète dès l'enfance ? Pourquoi Marie continue-t-elle à se ronger ?

Il faut remonter au mariage de Marie et de Michel pour trouver l'origine du « mal ». Marie est élevée dans un petit village, au sein d'une famille de cinq enfants. La mère de Marie est une vraie mère poule. D'autant plus que l'un des frères de Marie est de plus en plus malade. On l'envoie sans arrêt chez le médecin, ce qui finit par entraîner des problèmes financiers insolubles. On décide que Marie, qui a presque le même âge, attendra un peu avant de suivre une classe de sixième à la ville. En fait, le frère de Marie est atteint d'une leucémie incurable. Il décède à douze ans. Il s'appelait... Damien !

Marie est triste. Marie part en sixième à l'internat, mais sa mère lui manque trop et elle manque trop à sa mère. Après un tel drame, les liens maternels se resserrent encore. Elle finit par regagner le domicile familial. Quatre ans à aider sa mère à tenir la maison, trois ans vendeuse à Paris, et Marie revient dans sa province.

Elle revient toute changée. Elle a mûri, est devenue une jeune femme de vingt-quatre ans. Tout gamin, son cousin Michel lui disait sans cesse : « Quand tu seras grande, je veux t'épouser. » Le genre de bêtises qu'on se dit entre gamins. Sauf que Michel est grand, et qu'il veut toujours l'épouser. Marie n'est pas une grande rêveuse sentimentale. Elle n'est pas vraiment amoureuse de Michel, mais ce cousin est franchement sympathique et elle l'aime bien. Elle a un peu été élevée avec lui puisqu'ils étaient une ribambelle d'enfants dans cette famille aussi, et qu'ils habitaient le village d'à côté. Marie le dira elle-même : « Il était un peu comme mon frère. » Cette vieille complicité la rassure, et après dérogation à cause des liens de parenté, ils se disent « oui » devant le maire et le curé : Marie F. épouse Michel F.

Mais Marie se met à réfléchir. Moralement, elle n'est pas choquée. Mais biologiquement, cette union entre cousins n'est peut-être pas très saine. Surtout qu'à bien y regarder, ses propres parents sont cousins. Sa mère s'appelle Josette F., épouse… F. Du coup, Marie se met à avoir peur. Elle aime bien Michel mais ce n'est peut-être pas très utile qu'ils aient des enfants. De fait, pendant cinq ans, ils n'en ont pas. Quand cela finit par arriver, Marie connaît les premiers tourments avec la grossesse. Marie est même carrément paniquée. Elle consulte divers médecins qui la rassurent plus ou moins : évidemment, il y a une certaine consanguinité, mais ça n'engendre tout de même pas des monstres, et la plupart des maladies congénitales éventuelles peuvent être guéries.

Et effectivement, à la naissance, Marie devenue mère peut être fière : son bébé est beau et semble bien portant. Pour honorer le souvenir de ce frère perdu tragiquement de maladie, elle appelle le beau bébé Damien. Damien F. Même prénom, même nom que le frère disparu.

Moins d'un an après, c'est un autre fils qui naît, et deux ans plus tard un troisième fils, parce que, comme dans toutes les familles qui aiment les fratries équilibrées, on espérait une fille. Marie a voulu cet enfant, parce que son mari est prévenant, ses enfants en bonne santé. Elle était heureuse, et n'avait plus aucune raison de s'inquiéter, ni de redouter de nouvelles grossesses. C'est ce qu'elle croyait.

Parce que c'est après la naissance du troisième que Damien commence à avoir des problèmes. Il n'arrive pas à uriner. À la consultation, on s'aperçoit qu'en plus d'un problème de rein, Damien n'a pas de testicules. À la famille, Marie dévoile le problème du rein, mais ne rentre pas dans les détails pour le second problème, le principal, à vrai dire. C'est même le silence absolu. À quoi bon parler de « ça » ? Marie n'a pas vraiment honte, mais elle ne sait pas comment aborder le sujet. C'est délicat. Et puis si, en réalité, elle a un peu honte. Elle n'ose s'en confier qu'à Michel, son mari, parce que dans son esprit, il y a faute, la faute commune de ce mariage et de cette procréation. À Michel, elle peut en parler.

On opère Damien dès quatre ans. C'est la première intervention et c'est le début d'un calvaire qui ne s'arrêtera plus. Opéré à quatre ans, cinq ans, six ans, sept ans, deux fois à huit ans, à neuf ans, et cela va continuer. La première opération dure sept heures trente. Sept heures trente durant lesquelles Marie F. tremble pour la vie de son petit garçon, prie pour que l'opération réussisse, pour qu'enfin la faute dont elle s'accuse disparaisse. Mais la chirurgie ne peut rien contre la culpabilité, un sentiment qui ne s'opère pas, ne s'éradique pas au scalpel. Alors, le soir, Marie pleure dans son lit. Michel, moins angoissé, plus confiant et désinvolte, la console. Damien pleure aussi.

À douze ans, le jour de sa communion, Damien lance à sa mère : « Je sais bien que le bon Dieu ne m'aime pas ! » C'est vrai, pourquoi lui ? Pourquoi pas ses frères ? Damien tourne et retourne ces questions dans sa tête. Marie reçoit cette phrase comme une grande claque. Elle fait et refait dans sa tête la généalogie de sa propre histoire. Mère et fils, chacun de leur côté, cogitent, pleurent. Marie culpabilise et passe son temps à sécher ses larmes pour ne pas accabler Damien de son propre chagrin. Damien, lui, cache à sa mère qu'il est comme une bête blessée. Il est courageux ; il supporte comme un petit soldat les opérations, les comprimés, les piqûres. Il a conscience d'être un peu à part, pas comme les autres, mais il garde bien son secret. Il demande à sa mère de ne pas ajouter à sa peine en confiant ce secret à ses frères. Ni à personne. C'est trop honteux. Marie garde cela pour elle. C'est trop honteux. Michel ne dit rien non plus, mais lui ne dramatise pas. Il n'a pas les sentiments de la maman qui a enfanté de cette douleur-là. Il a les sentiments d'un père solide et courageux.

Presque un homme

Avec l'âge, la peine de Damien est devenue de la honte. À la puberté, cette honte devient obsédante. Un jour, à quatorze ans, il appelle sa mère, en larmes depuis une cabine téléphonique. Il a volontairement raté le bus qui devait le ramener pour le week-end. Il veut que sa mère vienne elle-même le chercher à la ville voisine : c'est grave, très grave, il veut lui parler. Marie obtempère, vaguement surprise par cette soudaine envie de confidence et surtout très inquiète. Quel est donc ce drame qui hante Damien ? Serait-ce le même que le sien ?

Et là, dans la voiture, Damien parle pour la première fois. Entre deux sanglots, il explique qu'il ne veut plus aller au basket, qu'il n'ira plus. Il n'ira plus parce qu'il ne peut plus supporter les douches collectives après l'entraînement. C'est la honte, trop de honte. Alors que tous ses copains mesurent « leur virilité » en ricanant, il longe les murs en priant le ciel pour qu'un incident ne l'oblige pas à se retourner. Cette absence de testicule l'obsède, l'angoisse, le terrifie, et l'empêche carrément de vivre. Même à l'école il n'ira plus ! Avec toutes ces histoires de garçons en pleine puberté, et ces filles qui commencent à s'en mêler, à se chuchoter des bêtises à l'oreille, il a trop peur d'être démasqué.

Marie F. est abasourdie. Damien a la même souffrance qu'elle. Jamais elle n'aurait imaginé qu'il y avait « tout ça » dans la tête de Damien. Alors elle le raisonne, mais ce soir-là, après avoir raconté la souffrance de Damien à son mari, elle pleure encore plus fort que les autres soirs, plus fort que tous les soirs. Elle fait le tour des médecins de la région et trouve la solution : les prothèses. Michel estime que si son fils veut ça, pourquoi pas. Damien fonce. Deux opérations plus tard, il prend des douches au basket. Mais il a toujours peur.

Les visites chez le médecin continuent. À l'adolescence, c'est le moment critique ; on surveille la croissance de Damien. On lui mesure tout. On teste tout. On adapte différents traitements et on en « fait » un homme. Véritablement, on le fabrique. On mesure son degré de pilosité, ses organes génitaux. Tout. C'est vexant pour un garçon. Alors Damien se renferme un peu, pour mieux enfermer son secret. Dans les réunions de famille, il est moins animé que ses frères, il s'éclipse à la première occasion. À quoi bon ! Puisqu'il n'est pas comme tout le monde. Un jour, en plein repas dominical avec ses oncles et tantes, il lance à l'un de ses frères : « Toi, c'est pas parce que t'es comme tout le monde que tu dois nous emmerder ! » Les frères haussent les épaules sans se poser de question. Les autres piquent du nez dans leur assiette, un peu surpris et ennuyés d'être les témoins involontaires de cette soudaine révolte. Quel caractère il prend, ce Damien ! Mais c'est le seul signe extérieur que Damien ait jamais laissé apparaître.

Marie est toujours folle d'inquiétude. Elle se demande quelle vie va avoir son fils. À dix-huit ans, il est condamné à recevoir une injection d'hormones mâles une fois toutes les trois semaines jusqu'à la fin de ses jours. Damien a eu besoin des médecins pour devenir un homme. Il aura toujours besoin des médecins pour continuer à être un homme. On lui a dit qu'il pouvait avoir une vie sexuelle normale mais il n'a pas l'air d'avoir de petite amie. Marie culpabilise toujours, de plus en plus. Marie pleure toujours et parfois, à présent, Damien pleure avec elle.

Une amie arrive ; un ami s'en va

Enfin, Damien rencontre Elise. C'est le grand amour et Marie se tranquillise un peu. S'il ne lui parle de rien, c'est que tout va bien. Mais tout va mal. En fait, Elise et Damien flirtent un soir de temps en temps mais ils n'ont pas d'histoire suivie. Elise n'a rien contre Damien, mais c'est plus un bon copain sur l'épaule de qui elle se laisse aller les soirs de solitude qu'un petit ami. Pourtant, elle l'aime beaucoup. Elle n'est pas amoureuse, c'est tout. Elle le lui dit, le lui répète. Et elle fait l'amour avec d'autres, dont elle est amoureuse. Le genre de déception qui arrive à n'importe quel jeune homme normal. Sauf que, justement, Damien n'est pas normal et que le raccourci est vite fait : « Je suis anormal c'est pour cela qu'elle ne m'aime pas ». Elise ne sait rien du problème de Damien. Elise n'aime pas Damien parce qu'elle n'aime pas Damien. Point final. Damien ne raconte pas cela à sa mère.

Un an avant le drame, son meilleur copain meurt et cette nouvelle douleur emmène Damien sur les chemins de la culpabilité. Là où sa mère est déjà depuis vingt ans. Thierry était « réussi », Thierry était normal, Thierry n'avait pas besoin de piqûres d'hormones pour être un homme et c'est lui qui meurt. C'est injuste. Damien avait l'impression qu'il n'aurait jamais dû naître. Maintenant, il se sent coupable de vivre. À sa mère, il dit : « Il aurait mieux valu que ce soit moi. » Marie s'effondre. Elle qui croyait que tout allait bien, que Damien avait enfin surmonté son problème, leur problème, s'aperçoit soudainement que la vie de son fils est une douleur permanente et qu'il lui en veut. À présent, Damien fait tout pour angoisser sa mère. En arrivant après son accident de voiture, il lui dit : « La prochaine fois, je ne vais pas me rater. » Parce qu'il avoue avoir volontairement foncé dans le décor. Il le dit à Elise aussi. Les deux femmes qu'il aime sont les deux seules qu'il fait souffrir, parce qu'il les hait aussi. Il hait sa mère de trop l'aimer alors qu'elle l'a raté « sciemment ». Il hait sa copine de ne pas l'aimer assez.

Et Damien raconte alors à sa mère son histoire avec Elise. Pas celle qu'Elise raconte., mais celle qui hante son esprit. Et la façon dont Damien interprète l'attitude d'Elise ressemble à un travestissement complet de la réalité. Il explique à sa mère que sa petite amie ne veut pas de lui parce qu'il ne peut pas lui faire l'amour. Il est obligé de refuser, alors qu'elle le harcèle. Il doit chaque fois quitter sa chambre au dernier moment, plein de honte. Et de fait, chaque fois que Damien rentre d'une soirée avec Elise, il fond en larmes. Pas pour les raisons que croit Marie.

Mais, quelles que soient les raisons, Marie se retrouve avec un nouveau fardeau à porter. Insoulevable, celui-là. Marie ne comprend pas que Damien ne puisse pas avoir de rapports sexuels. Les médecins l'ont assurée du contraire. Elle le questionne. Pas de réponse. Le pourquoi du comment, Marie n'y a pas droit. Elle comprend ce que lui dit Damien, à savoir qu'il est privé de sentiments, d'amour, parce que son corps les lui interdit. Elle tente de le réconforter par tous les moyens puisque c'est elle la responsable, l'horrible coupable, déjà. Elle propose de parler à Elise mais Damien refuse : il serait couvert de ridicule. Elle lui dit qu'il en trouvera une autre mais Damien a la réponse imparable : « Ce sera pareil. » Marie s'arrache les cheveux. C'est la douleur sans issue. Pour eux deux. Alors Marie pleure. Damien aussi. Dans les bras l'un de l'autre, comme souvent.

Quand il rentre le week-end, il se réfugie souvent dans sa chambre pour pleurer loin des regards de ses frères. Il ferme les yeux pour dormir et oublier, mais le sommeil ne vient pas. Marie vient. Elle lui donne des calmants, sur le conseil d'un médecin, ceux dont elle s'abrutit elle-même pour ne plus penser. Ils pleurent tous les deux en attendant qu'il s'endorme et elle lui tient la main, comme à l'hôpital quand il se réveillait de l'anesthésie étant petit. Comme pour se réveiller du mauvais cauchemar : le passage impossible à l'âge adulte.

Inlassablement, Damien raconte à sa mère ce que lui fait Elise. Qu'elle couche avec d'autres parce qu'il ne peut pas ; que la nuit, quand il l'appelle pour lui dire « je t'aime », il sait qu'elle lève les yeux au ciel ou regarde l'amant allongé près d'elle.

Damien a travesti la douleur de la jalousie en douleur d'impuissance. Dans son esprit, ce ne peut être Elise la responsable. Ce ne peut être que physique ; ce ne peut venir que de sa mère. Quand Damien travaille dans l'Est, à partir du mois de mars, il téléphone à sa mère, et ils pleurent, chacun à un bout du téléphone, à des centaines de kilomètres l'un de l'autre. Damien ne sort pas de la semaine, travaille dur toute la journée et lit des livres de botanique le soir. Le week-end, c'est pire que tout. Il va en discothèque. Voir Elise en embrasser un autre. Alors il boit des whisky-coca, en espérant mourir d'ivresse sur la route du retour, rejoindre Thierry, et surtout tout oublier. Ces soirs-là, il voudrait tellement faire l'amour avec elle... Si elle voulait...

Marie n'entend pas cette version-là. Marie souffre, agonise, parce qu'elle entend ce que Damien répète sans arrêt : « C'est de votre faute tout ça. Vous n'auriez jamais dû vous marier entre cousins. » Et trois mois avant le drame, Damien fait définitivement sombrer sa mère dans la détresse en disant : « Tue-moi. Il n'y a que toi qui peut faire ça puisque tout ça est de ta faute. » Elle s'est trompée, elle doit réparer. Mais Damien lui en demande trop. Marie répond : « Ne dis pas de bêtises, Damien. On ne tue pas les gens comme ça. » Mais Damien insiste : « Tue-moi puisque tu dis que tu m'aimes. » Cette phrase ne quitte plus sa bouche. Ils continuent à pleurer dans la chambre et à avaler des cachets.

Cette lente agonie a commencé avec la mort de Thierry. Elle dure un an.

Les anniversaires

Ce 14 juillet 1991, c'est l'anniversaire de la mort de Thierry et c'est trois jours avant l'anniversaire d'Elise. Damien va très mal. Il passe chez le père de Thierry, plein de pensées morbides : « Dans trois heures, ça fera un an que Thierry s'est tué. J'aurais dû mourir à sa place. » Le père de Thierry lui demande de ne pas parler de cette façon. Il est déjà assez malheureux.

Damien rentre chez lui et appelle Elise. Il fait sa tournée des douleurs. La veille, Elise a dormi avec un garçon, son vrai copain, l'histoire sérieuse depuis deux mois. Lui, elle l'aime. Et Damien demande : « Qu'est-ce qu'il a de plus que moi ? Il est chômeur ! » Il n'a rien de plus ni de moins que Damien et c'est la question de tout amoureux blessé. Mais pour Damien, ce n'est pas seulement son amour qui est blessé, c'est aussi son corps qu'il sent blessé, meurtri, comme mutilé de naissance.

Damien demande à Elise de l'accompagner, seule, au feu d'artifice. Elle refuse. Elle ira avec son copain. Damien lui demande de dîner avec elle en tête à tête pour son anniversaire. Nouveau refus. Elle sera avec son copain. Damien demande des rendez-vous, fait des propositions, et finit par un chantage :

« Si tu passes tes week-end avec moi jusqu'à la fin de l'été, je te paie le permis de conduire. » Il est tombé bien bas, Damien. Et Elise, elle, est furieuse. Elle veut bien être gentille mais elle se dit que Damien la prend vraiment pour une moins que rien. Ils se disputent.

Michel voit bien que son fils va plus mal que d'habitude ce jour-là. Bien sûr, il s'est toujours préoccupé de la santé de son fils, mais il a considéré que puisque la santé était sauve, le moral devait l'être aussi. Damien se plaint moins auprès de lui que de sa mère. Sa mère l'écoute plus, sa mère l'écoute mieux, sa mère culpabilise plus. Son père est plus solide, et puis c'est un homme. Il sait bien, lui, ce qu'est un corps d'homme. Et s'il fonctionne, il n'y a pas de raison d'être aussi malheureux. Il le répète à Marie. Il le répète à Damien. Mais ces deux-là, décidément, sont trop angoissés. Ce matin du 15 juillet, Michel décide d'emmener Damien dans la nature, comme souvent, pour lui changer les idées. Dans les bois, Damien parle et accuse encore : « Vous n'auriez jamais dû vous marier entre cousins. C'est de votre faute. » Et ce jour-là, Michel et Damien pleurent tous les deux.

Le dernier baiser

Marie voit bien qu'ils ont les yeux rouges en rentrant déjeuner. Cette souffrance-là ne s'arrêtera donc jamais ! Damien téléphone à Elise. Elle ne veut plus le revoir. Ça suffit ! Elle a été assez patiente. Damien monte dans sa chambre et s'allonge. Pour dormir. Pour oublier. Une fois de plus. Marie le rejoint et lui tient la main, comme à chaque fois pour l'endormir. Damien prend quatre somnifères. Ils pleurent, main dans la main. Damien lui dit : « Tue-moi. Fais-le. » Marie pleure. Damien s'endort. Il a fermé les yeux sur de grosses larmes.

Marie est à bout. Vingt-quatre ans de culpabilité, vingt ans de problèmes médicaux, dix ans de honte, un an de reproche, et maintenant cette journée de rupture avec Elise. Ça use. Ça lamine. Maintenant, Damien est seul dans sa vie. Seul et malade. Tout cela à cause d'elle.

En sortant de la chambre de Damien, les yeux de Marie tombent en arrêt sur la carabine accrochée au mur. Elle ne réfléchit pas. Elle la décroche. Elle n'est même pas énervée. Elle engage machinalement les cartouches dans le canon. Elle rentre dans la chambre de Damien en plein sommeil. Elle précisera : « Sans le regarder dans les yeux parce que je n'aurais pas pu. » Et elle tire.

Michel faisait la sieste. Quand Marie le réveille, elle lui dit seulement : « J'ai tué Damien. » Michel ne se fâche pas. Il décharge le fusil et dit seulement : « T'aurais pas dû faire ça. » Avant d'appeler les gendarmes, tous les deux sont allés l'embrasser. En pleurant. En pleurant sur leur mariage entre cousins, l'union maudite, leur drame qui était devenu celui de Damien, le drame de Damien qui était devenu le leur.

C'est par son crime que Marie s'est déchargée de son trop lourd secret. Elle a appris à tout le monde le calvaire de Damien, sa volonté de le soulager, plus que de le tuer. Elle ne savait plus. Elle ne pouvait plus.

Les experts-psychiatres ont expliqué que le crime avait été une façon de décharger la culpabilité et le chagrin à la fois et que les relations passionnelles entre la mère et le fils étaient de tonalité incestueuse. Encore ! Comme si ça n'avait pas déjà suffit dans les générations précédentes.

En cour d'assises, Marie a dit : « C'est une histoire entre mon fils et moi. Je l'aimais trop. » Les mots d'une mère pour exprimer ce que disaient les experts.

Juste avant de s'endormir et de mourir, Damien avait dit à sa mère : « Il aurait mieux valu que je meure. Je ne me marierai pas. Je vivrai avec vous. »

La famille F. a dû apprendre à vivre sans lui.

Marie n'a pas assisté à l'enterrement. Elle avait trop mal. Elle n'a pas été incarcérée. Elle est allée soigner ses blessures en clinique psychiatrique avant de rentrer chez elle. Tout le village a été gentil avec elle. Toute la famille aussi.

Cela avait été tellement lourd de porter toute cette souffrance, que Damien lui renvoyait sans pitié. Elle était une mère. Par pitié, elle l'a tué. Quitte à en souffrir éternellement.

Le 25 octobre 1994, c'était au tour des jurés de la cour d'assises d'avoir pitié. Marie a été acquittée.

• • • • •

Postface

Je t'aime, donc je tue

« Je l'aimais trop. »

Marie, comme Marie-Ange, ont fait cet aveu en cour d'assises, en parlant de leur victime.

On tue parce qu'on aime trop, parce qu'on aime mal, parce qu'on déteste. On tue parce qu'on est perdu dans les ténèbres affectives, noyé dans un débordement de sentiments. On tue parce qu'en soi, c'est la violence, parce qu'en soi se battent l'amour et la haine, et qu'aussi parfois ils se confondent. On n'a jamais appris la différence. On tue parce qu'on se sent trop coupable, trop victime, ou les deux à la fois. On tue pour se venger de l'autre, ou de soi. On tue parce qu'on ne sait plus très bien où l'on est, qui l'on est, qui est l'autre. On ne l'a jamais su ou on l'a oublié. On tue parce que l'on projette, parce que l'on fantasme, parce que l'on prête à l'autre ses propres sentiments, ou leur contraire. On tue quand on a quitté soi pour l'autre, qu'on l'aime ou qu'on le haïsse.

Chez tous les criminels de cet ouvrage règne la confusion des sentiments, une confusion largement entretenue par l'absence de repères générationnels. On frise les limites de l'incestueux, tellement les liens du sang et les liens du sexe s'entrecroisent. Une mère a pour amant un homme plus jeune que sa fille (Marie-Ange), une vieille dame prend pour mari un homme plus jeune que son fils (Bernard L.). Des mères idolâtrent leurs fils (Jeanne et Marie), un fils tombe amoureux de sa mère (Bernard L.). On se marie entre cousins (Marie-Ange et Marie) ou avec sa voisine (Bernard L.), l'essentiel étant de rester « entre soi », « en famille ». L'on finit par ne plus savoir qui l'on aime et qui l'on déteste. On tue ou on torture, par amour, pour faire plaisir à celui qui vous donne un tant soit peu d'affection : les fils G. pour faire plaisir à leur mère, Jean-Pierre pour satisfaire sa mère, Marie-Ange allant jusqu'à appeler sa grand-mère pour être félicitée. On tue celui que l'on aime pour qu'il ne souffre plus : Basile, sa femme ; Marie, son fils. On tue pour protéger qui l'on croit en danger : la jeune fille peut-être violée chez Bernard L. et la mère peut-être battue chez les frères G. Dans tous les cas, le criminel, est évanoui à sa propre conscience. Alors que la victime soit un rival ou un double, objet d'amour ou de haine, c'est la même chose : toute cette confusion mène au crime.

Aucun des criminels de cet ouvrage n'est un monstre, parce qu'aucun ne tue par plaisir et sans souffrance. Tous sont des êtres sensibles que la vie a écorchés vifs, mutilés, détruits. Ils sont murés dans leur douleur, comme on dit, une prison bien plus inquiétante que celle dont les menace la justice. Emprisonnés dans des sentiments hérités de leur passé, ces barreaux de l'âme qu'on tente de scier toute sa vie, ils ont longtemps cherché l'issue. Ils n'y croient plus. Le crime est un acte de désespoir, au même titre que le suicide, mais il est l'acte désespéré des êtres qui espèrent encore.

Leur dernier espoir, c'est de tuer leur souffrance en éliminant le témoin de leur douleur, son origine ou son fruit. Ils préfèrent vivre en prison, plutôt qu'être aliénés dans la vie par la violence de leur amour ou de leur haine. On tue beaucoup en famille parce que le coupable de nos névroses, de nos angoisses, voire de notre impossibilité à vivre en paix, est la plupart du temps un parent, quelqu'un qui rappelle nos origines. C'est une mère qui rappelle un abandon (Marie-Ange), un beau-fils qui rappelle une trahison (Jeanne), une épouse qui rappelle une frustration (Basile). C'est toujours quelqu'un qui ramène un passé jamais digéré, qui ravive une douleur ancienne, qui ressuscite le démon qu'en soi on cherche à tuer. Parce que le criminel confond les sentiments, mais aussi le passé, le présent et l'avenir, toutes les époques semblant tendre vers un seul moment : celui du meurtre. Dans l'esprit du criminel, le temps s'arrête à l'instant T où il va tuer, parce qu'il imagine qu'en ce même instant, il va pouvoir commencer à vivre, ou à revivre. Prisonnier de ses sentiments, le criminel voit en son crime la seule issue. Il veut s'en sortir, c'est-à-dire sortir de ce lieu mystérieux où il est enfermé : l'autre qui cristallise sa propre douleur.

Parfois, le passage à l'acte ne tient pas à grand chose : un regard qui tombe sur une carabine (Marie), une virilité perdue à un âge canonique (Basile), un mot de travers (Marie-Ange) ; on tue à des occasions particulières : un anniversaire (Marie), un accouchement (Marie-Ange), un réveillon (Bernard L.) ou une Saint Valentin (Basile), des détails ou des dates qui font resurgir le passé ou avancer l'avenir d'un coup, à toute vitesse. Mais ces petits déclics viennent après de grands traumatismes. Chez tous, on retrouve le même drame : beaucoup d'amour cherché partout et jamais trouvé.

Quand la demande d'amour reste toujours sans réponse, quand il n'y a eu ni affection, ni repère, ni parent, ni guide, viennent le silence et la détresse. On souffre mais on ne l'exprime plus avec des mots. Le criminel va la dire avec les mains. Les mots sont le privilège des gens heureux, de ceux qui s'expliquent, qui discutent, qui négocient, parce qu'ils ont encore quelque chose à gagner et n'ont jamais de leur vie tout perdu. Le crime est le cri du cœur qui reste aux êtres muets de douleur. Le cri d'un cœur mutilé.

Selon qu'ils tuent la haine au ventre ou l'amour à fleur de l'âme, les criminels se livrent tous aux mêmes rituels. Certains révèlent leur désir de destruction radicale en mettant le feu pour qu'il ne reste absolument rien de l'objet de leur haine : Jeanne et Marie-Ange brûlent les corps, Bernard les voitures, y compris la sienne. D'autres se livrent à un rituel amoureux : on embrasse avant de tirer chez Basile, après avoir tiré chez Marie. Parfois, on ne peut tuer que pendant le sommeil de l'autre, comme en son absence : c'est le cas de Basile et de Marie. Parfois, on réalise trop tard que l'on s'est trompé, que la douleur survivra au défunt et qu'au-delà de l'autre, c'est en soi que résidait la cause de la souffrance, alors on se tue ou on tente de le faire (Marie-Ange et Basile). Mais ce qui frappe, c'est que tous, exceptée Jeanne, la fameuse « roue qui tourne », restent hantés par le dernier regard de leur victime. Marie et les frères G. l'ont fui, sinon, ils « n'auraient pas pu », Basile l'a interrogé, Marie-Ange et Bernard l'ont recherché pour se donner du courage et y vider toute leur rancœur. Les yeux sont le dernier lieu du corps où dire sa haine ou son amour, quand la bouche ne parle plus, quand les oreilles n'entendent plus, quand les mains ne caressent plus. Ils y prennent garde, comme si jusqu'à la mort, c'était leur histoire d'amour qui continuait. Une histoire d'amour ratée.

Ce livre se termine sur l'histoire de Marie, celle qui ne voulait que le bien de sa victime. L'amour mène en cour d'assises, tout aussi sûrement que la haine, quand il est passionnel parce que la passion dépossède tout aussi sûrement que la haine. Mais la justice des hommes pardonne parfois aux amoureux qui souffrent tandis qu'elle condamne les blessés par la vie.

Puissent les lecteurs blessés par la vie accepter leur souffrance et se mettre à aimer.

• • • • •

Remerciements

À l'homme de science : le professeur Michel Bénézech

Aux avocats passionnants :

Me Milon de Peillon, du barreau de Marseille
Me Alain Lhotte, du barreau de Marseille
Me Hervé Chereul, du barreau de Caen
Me Catherine Lison-Croze, du barreau de Tours
Me Christophe Hechinger, du barreau de Bar-le-Duc
Me Dominique Lefèvre, du barreau de Douai
Me Francis Linquercq, du barreau de Douai

Aux journalistes et aux documentalistes passionnés :

Claude Maubon, du quotidien *Le Méridional*
Cyril Guinet et Michel Mary, de l'hebdomadaire
Le Nouveau Détective
Elisabeth Mecca, du quotidien *La Dépêche du Midi*
Aux documentalistes du quotidien *Libération*

Aux diligentes secrétaires et standardistes de tous ceux-là.

• • • • •

Table des matières

• • • • •

Aubin Imprimeur
LIGUGÉ, POITIERS

Reproduit et achevé d'imprimer en mars 1998
N° d'édition 98040 / N° d'impression L 55544
Dépôt légal avril 1998
Imprimé en France

ISBN 2-73821-077-5

33-6077-3